新型肺炎、経済崩壊、
軍事クーデターで

さよなら習近平

宮崎正弘

ビジネス社

新型肺炎、経済崩壊、軍事クーデターで**さよなら習近平**　目次

プロローグ　黒い白鳥《ブラックスワン》が舞い降りた

第1章　未曽有の災禍はどこまで拡大するのか

第2章 台湾、香港、マカオ、そして韓国の運命

第3章 世界で中国の地盤沈下が起きた

第4章 そして習近平国賓来日は延期へ

プロローグ　黒い白鳥《ブラックスワン》が舞い降りた

「灰色の犀」に気をつけろと警告していた

２０１９年１月に党中央学校で講演に立ったとき、習近平《しゅうきんぺい》は「灰色の犀《さい》に気をつけろ」と言っていた。

筆者は習近平が初めて口にしたこの言葉に注目した。日常の風景のように犀は灰色である。誰もが見慣れた色調である。くすんでいるから特に注視していない。その犀が突如暴れ出すと、収拾がつかなくなるのも常識である。

この時点で習近平が比喩《ひゆ》した「灰色の犀」の危機意識とは、国内の不満分子、自由派の弁護士や民主活動家、そしてウイグル、チベットなど独立運動の拡がり、退役軍人のデモなど政治的な動きを懸念してのことだった。経済的に中国が突然の大不況に見舞われるという意味を込めてはいなかった。経済的にはまだ高度の成長が持続し、中国経済の繁栄は疑いがないという甘い認識だったのである。

しかし「灰色の犀」の本当の意味は不良債権の爆発、ドル建て社債の債務不履行、国際市場でのチャイナ・プレミアム、一帯一路の頓挫《とんざ》、輸出の激減、産業の空洞化などが顕著に進行しており、予期せぬタイミングで経済運営が行き詰まるという暗喩だったのだ。習近平の認識にその領域の危機感覚がなかった。

習の周りにはましな経済ブレーンがいないからでもあり、経済政策は本来、国務院の専管事項なのに経済に無知な習近平が李克強《りこくきょう》首相に権限を与えず、経済政策立案でもトップに座ったからだった。

同年3月の全人代ではGDP成長を6%から6・5%と低く見積もった。しかし人民大学の向松祚《こうしょうそ》教授らは「せいぜいが1・67%、ひょっとしたらマイナスだろう」と真実の声を上げていた。

実際に内蒙古《ないもうこ》省の「包商銀行」など地方銀行の幾つかが倒産の危機に直面し、当局の監察下にはいった。大手企業集団の社債は償還できずに事実上の倒産（債務不履行）に至り、天文学的借財を抱える地方政府の債務は膨張しても返済の目処が立たず、アリババとて資金繰りが苦しく香港でIPO（新規株式公開）に踏み切った。

地方政府の債務は800兆円を超える。上場企業の債務は620兆円などと言われたが、これらは氷山の一角に過ぎない。新幹線建設の鉄道債にしてもすでに130兆円に達している。すなわち累積赤字である。地方空港は275港。週に1便も飛んでこないド田舎の飛行場は、地方政府のさらなる財政を圧迫する。

3兆2000億ドルと豪語する中国の外貨準備高はその公式発表とは裏腹に、外国からドルを借りて帳尻を合わせてきた。

外国企業へのM&A（企業合併、買収）は突如沙汰《さた》やみとなった。土地や不動産の購入もカネが続かなくなった。そればかりかせっかく高値で、安邦生命が購入したNYのウォルドルフ・アストリアホテルや、海航集団のヒルトンホテル・チェーン買収も結局は投げ売り、万達《ワンダ》集団は全米の映画館チェーン、国内のホテル・チェーンも売却して手元のドル不足を充足した。女優のファン・ビンビンも米国に隠していた不動産の処分を迫られた。

外国企業は中国から逃げ去り、国内企業城下町はゴーストタウン化していた。目に見えるかたちで灰色の犀が暴れ出していた。

しかし経済の実際のデータをひた隠して無理矢理の財政出動と利下げというカンフル注射を打ち続け、経済破綻《はたん》を誤魔化すために生命維持装置で乗り切ってきた。悪質な情報操作、真実の隠蔽《いんぺい》は独裁者の常套《じょうとう》手段だが、それさえ機能不全となった。米中貿易戦争の勃《ぼっ》発《ぱつ》がリーサルウェポンと化したからだった。

この苦境に折り重なって、ついに「黒い白鳥」が舞い降りたのだ。

ブラック・スワンは「あり得ない」とされるシナリオを意味する。それが現実となった。「COVIT19」と名づけられた武漢《ぶかん》発新型肺炎は瞬く間に中国全土に拡大し、2020年2月18日に死者は2000名を超えた。この執筆時点の3月2日現在、死者は3000人近く、罹患者は8万名。しかし、これら中国発表の数字は信用できない。

習近平は2月5日に「中国はいかなる対応もとれるし、ウイルス退治には自信を持っている」と虚言を吐いたうえ、2月10日になってマスク姿で北京の住宅地を視察して同じ台詞を吐いた。ネットには「習近平よ、武漢へ行け」の大合唱が起きた。

重大な懸念はむしろ諸外国から発せられており、米国はいちはやく中国からの帰国者を隔離し、3月には感染国からの航空機乗り入れを全面禁止した。多くの国がこれにならった。

2月10日に英国政府は「コロナウイルスは公衆衛生への重大かつ差し迫った脅威だ」と宣言するにいたる。

英保健省は「こうした規制において打ち出される措置はウイルスのさらなる伝染を遅らせたり、防いだりするのに効果的な手段とみなされる」とした。

ロシアも米英並みの全面禁止措置を取り、新任の中国エカテリンブルク領事を2週間領事館に留まるよう要請し、外務官僚との面会はそのあとでと釘を刺した。


不手際が目立ったのはＷＨＯ（世界保健機関）である。

ＷＨＯは2月11日にようやく「新型ウイルス」を「ＣＯＶＩＴ19」と名づけ、「感染拡大が世界に及ぼす影響はテロリズムを超える恐れがある」などとして一段の警戒を呼び掛け、2月28日になってより深刻な事態と認めた。

ＷＨＯは中国の政治圧力に屈して1月30日まで「非常事態」の宣告を延ばし、2月初旬、西側の多くが旅行制限を施したときにも「旅行制限するほどではない」と言ってのけた。

ＷＨＯが中国のカネに浸蝕され、操られている実態が露呈された。

テドロス事務局長はエチオピアの元保険大臣。エチオピアへの中国の投資はめざましいほどの急伸ぶりを示し、紅海のジブチと繋《つな》げた鉄道建設、東部工業団地の建設、アパレルの進出など２０１０年から２０１５年までの5年間だけでも１０7億ドルを融資している（ジョン・ホプキンス大学「中国アフリカ研究イニシアティヴ」の統計）。

２０１9年度のノーベル平和賞は、このエチオピアのアビィ首相に贈られたのも、スーダン、ジブチ、南スーダンの地域の安定に貢献したと評価されたからだった。エチオピアは１９７4年にハイレ・セラシエ帝政を廃止しメンギスツ革命政権が誕生したが、93年に北東のエリトリアの独立によって海への出口がふさがれ、内陸国家として最貧国に位置づけられてきた。

ところが人口は1億1000万人、面積は日本の3倍。農業生産で順調に成長を遂げ、旧宗主国イタリアからの援助もあって、今ではエチオピア航空が日本に乗り入れているほどである。

アフリカ諸国のなかでも「北東アフリカのベトナム」と呼ばれるエチオピアは年率10%台のGDP成長を遂げ、欧米ブランドの衣料品の輸出などで発展してきた。日本も伊藤忠商事など、韓国はサムスンが進出したが、中国の直接投資がダントツ、2017年までにも23億ドル。「東方工業園」という輸出加工区を建設した。西側からは「借金の罠《わな》」に落ちたと批判されていた。

WHOの緩慢な措置に併行して、習近平国家主席は地方政府の高官に対し、新型コロナウィルスの感染拡大を防ぐ取り組みは「行き過ぎ」であり、かえってそれが国内経済に悪影響をもたらしているなどとあべこべの警告をした。

習は感染拡大に関する国家発展改革委員会（発改委）などの報告書を聞いたあと、共産党政治局常務委員会で地方当局者に「感染拡大防止のための一部の措置は経済に悪影響をもたらしているが、さらに制限するような措置は控えるよう」要求した。

しかも北京情報筋によれば、この政治局常務委員会は感染を怖れて北京３０１医院で開催された由である。ただしこの情報は裏が取れていない。

2月13日になって湖北省の蔣超良《しょうちょうりょう》・党委書記が解任され、後任に応勇《おうゆう》・上海市長が指名された。上海市長と言えば「権力の栄華」に輝くポスト。かつて江沢民《こうたくみん》が就いていた。大都会から田舎へ飛ばされるのだから、応勇はさぞしょげかえったのではないか。応勇は、習の側近と言われるが、その政治力より、仲良し人事が先行しただけで、「莫迦が去ったらアホが来た」といわれかねない。

焦眉《しょうび》の武漢市。無能力をさらした馬国強《ばこくきょう》・党委書記が解任され、山東省・済南市の王忠《おうちゅう》林《りん》・党委書記が指名された。王忠林は山東人。異例の異動である。この矢継ぎ早の人事異動は、もちろんコロナウイルス災禍が原因だが、武漢市書記の交替劇は、中国のネット世論が不満を爆発させた結果である。

というのも昨師走（２０１９年）に眼科医の李文亮《りぶんりょう》医師が、「なんだかＳＡＲＳに似た症状が見られ、伝染病対策を取るべきではないか」と発信したところ、「社会秩序を乱した」として当局に厳重に注意され、その後、李医師が2月7日に新型肺炎で死去したことでネチズンが怒り心頭、情報を隠蔽《いんぺい》した「市のトップは責任を取れ」。はては、「習近平よ、武漢へ行け」の大合唱となっていた。こうした不満のすり替えが必要と判断したのだ。

あたかも「清廉潔白な儒学者が、皇帝に対して真実を語ると逆に迫害を受け、正直であるがために命を落とした。このような高邁《こうまい》な人物は中国の伝統のうえで『偉人』とされてきた。李氏はその姿に見事に当てはまる」（英紙「フィナンシャルタイムズ」２０２０年2月11日）。

同時に香港のトップが交代した。

先にも中国の出先機関である香港連絡弁公室の王志民《おうしみん》が解任されたが、国家行政部門の香港澳門《マカオ》担当トップも交代した。しかも、前任は「副主任」へ降格という見せしめ人事となった。国務院香港澳門弁公室主任の張暁明《ちょうぎょうめい》が降格され、新任は夏宝龍《かほうりゅう》（浙江《せっこう》省書記）。夏は天津人で、すでに定年を過ぎているが、能力の高さを評価されたからという。

こうやって習近平は人事の組み替えで、住民らの不満を抑え込もうと躍起だが、所詮は蜥蜴《とかげ》のしっぽ斬りでしかないだろう。

失速したイカロス

「世界の工場」と言われた中国の生産基地の空洞化は予想より迅速である。

コロナウイルスの急激な拡がりのスピードと同様に急速にゴーストタウン化が進んでいる。都市が荒廃し、人心がすさみ、巷《ちまた》には終末論が蔓延《まんえん》する。

特に対米輸出の激減ぶりは凄《すさ》まじいうえ、製造業の多くが中国から逃げ出し、「世界の工場」は烈風吹きすさぶ曠野《こうや》になった。北京の王府井、上海の南京路、広州の上九通りなど人がめったに通らない映像が世界に流れた。日本で言うと銀座から人通りがなくなった惨状を連想するとよい。

日本のGDP（国民総生産）、なんとマイナス6・3％（19年10月—12月期）！　日本経済への悪影響は深刻である。

日産はゴーン騒ぎで赤字に転落していたが、中国で生産している部品がストップしたため日本国内での生産ラインが止まった。九州のふたつの主力工場でラインが停まり、年間40万台の主力車種がもろに悪影響を被った。

逆にエンジンを中国のサプライチェーンに供給できなくなったトヨタの中国工場も幾つかの生産ラインを止めた。特に愛知県のエンジン工場は生産調整に入り、このエンジンが輸出できないと中国での生産も不可能になる。トヨタの天津、吉林省、四川省、広東省などの工場も操業不能状態に陥った。トヨタ、日産は中国の販売台数が日本国内より多く、日本車トータルで中国の販売は500万台を超えている。その足下が脅かされた。同様にブリヂストンやマツダも操業再開の目処が立たず、ドイツ車もフォルクスワーゲンは成都の完成車工場が生産ラインを止めた。GMもしかり。エアバスの中国組み立て工場も。自動車部品工場が集中するのは広州、天津、無錫《むしゃく》などで、部品が足りないという悲鳴と同時に「工員が出社しない。いや出社しても仕事がない」という悲鳴である。

操業再開などと言っても、社員が出社しない。2月20日現在、3億人の出稼ぎ労働者が職場に復帰していない。生産現場は自宅勤務というわけにはいかない。生産が中断すれば、販売に影響が出る。輸出納期には間に合わず、ときに違約金を支払う羽目になる。

「部品製造の下請け1社でも止まれば、サプライチェーン全体が止まる」(「サウスチャイナ・モーニングポスト」、2020年2月13日)。

中国の自動車販売はすでに20ヶ月連続で下降し、前年比マイナス19%(日本経済新聞、2020年2月14日)。これだけ見ても中国のGDPはマイナスになる。あまりのことに中国政府は新車販売に補助金をつけるとした。

自動車ばかりか、アパレルでもレナウン、ユニクロなどは中国での委託生産が多いため物流に停滞が生じた。アリババも配送が止まって在庫が山となっている。加えて中国の税関では人手不足とマスクなど医薬品の輸入集中があって通関作業に大幅な遅れが出ている。これも部品供給の遅れに繋がった。悪性のスパイラルである。

かろうじて一部工場再開をしたのは住友化学、村田製作所、日本精工、ソニーなどだが、旧正月前のフル生産に遠く及ばず、先行きは真っ暗だという。サプライチェーンの再構築の展望はなく、視界は霧に閉ざされている。

第一、死者数の少ない北京、上海でも人通りがない。信じられない光景が全土で出現し地下鉄はガラ空き、常に人が一杯のあのチャイナは何処へ行ったのか？

中国の新型肺炎による主な封鎖都市

封鎖日	省・直轄市	市・区	人口
1月23日	湖北省	武漢市	約1100万人
	同	鄂州市	約110万人
	同	仙桃市	約150万人
	同	枝江市	約50万人
	同	潜江市	約100万人
	同	天文市	約130万人
	同	黄岡市	約630万人
	同	咸寧市	約250万人
	同	赤壁市	約50万人
	同	孝感市	約490万人
	同	黄石市	約250万人
	同	荊門市	約290万人
	同	宜昌市	約410万人
	同	恩施市	約75万人
	同	當陽市	約50万人
	同	十堰市	約340万人
1月25日	同	随州市	約220万人
1月31日	重慶市（直轄市）	万州区と梁平区	約80万人と約70万人
	雲南省	昆明市	約670万人
	寧夏回族自治区	呉忠市	約140万人
	同	銀川市	約220万人
2月2日	浙江省	温州市	約920万人
2月4日	同	杭州市	約920万人
	同	楽清市	約120万人
	同	寧波市	約790万人
	河南省	鄭州市	約990万人
	同	駐馬店市	約620万人
	山東省	臨沂市	約1140万人
	黒龍江省	ハルビン市	約960万人
	江蘇省	南京市	約830万人
	同	徐州市	約880万人
	同	南通市	約730万人
	福建省	福州市	約750万人
	江西省	景徳鎮市	約170万人
			計約1億5695万人

※封鎖都市は、自由時報の報道より。各都市の人口は、メディアや金融機関の資料などから推計（「zakzak」2020年2月7日）

中国の大都会。林立する摩天楼。１００階建ての超高層ビル。壮観の極みだった。24時間ネオンが煌《きら》めき、繁栄は天に向かっていた。上昇気流に乗って轟音とともに、皆は上を向いていた。上だけを見ていた。後ろを振り返る人は少なく、虚栄の市に気がつかず、高価なブランド品が飛ぶように売れた。

まるでイカロスの翼。

摩天楼の中身はと言えばエレベーターホールで待つ人が数百、平均15分待ち。つまりエレベーターがまともに動かないからだ。ビルが傾斜し、まったく動かないのもあって、テナントが撤退すると空室のまま。ゴーストタウンは昨今の中国名物だが、有名な摩天楼も、ビルの中は空っぽというゴーストビルが無数に建った。外見は立派なビルもトイレが汚染されている。日本のウォシュレットを見て、中国人はびっくり、大量販売店で実物を買って帰る人も増えた。

パリのポンピドー・センターに飾られた「イカロスの墜落」は巨匠シャガールが描いた。天空を飛ぶイカロスは太陽に近づきすぎて、翼が解けてバラバラになり墜落した。

イカロスの失速は、今の中国経済に喩《たと》えられないか？

突如、経済活動が止まり、中小企業はサプライチェーンが機能不全に陥ったため仕事がない。高くなった賃金は払えない。ビル工事はどこもかしこも途中でカネが続かず中断している。セメントも建材もクレーンも放置され、生コンはミキシングが止まれば固まってしまう。町全体が幽霊の出没区と化けて、日本の駅前シャッター通りを何百倍、いや何千倍の規模にしたような寂寥《せきりょう》たる光景がある。

習近平が獅子吼《ししく》してきた「中国の夢」。

2045年にアメリカと肩を並べ、世界をG2で2分して統治し、GDPは世界一となり、「デジタル人民元」が世界の基軸通貨になる。当面は「中国製造2025」が目標とされた。

ビルの裏町の不衛生、今のコロナウイルスはやがて収束するだろうが、不衛生な環境が改善されない限り、疫病は今後も新型を産み、間歇《かんけつ》的に経済活動を中断、頓挫《とんざ》させるだろう。

「中国製造2025」より、「トイレ革命」が先決だったのだ。

「中国の夢」は蜃気楼だった

このコロナウイルス災禍を「口実」に支払いの遅延、不払い、倒産も表面化した。

このときとばかり「不可抗力条項」を活用（もしくは悪用）して、中国国内の企業間では支払いの遅延、不履行が静かなブーム。鋼材、アパレル、建材分野が特に目立ち2020年2月10日時点で、有力企業の契約不履行は97社にのぼる。

またこれを撤退の口実として、ワタミは中国全土の店舗を閉鎖した。スタバは全土で2000軒が閉鎖したままである。

サプライチェーンの寸断は日本ばかりか、韓国、台湾の経済をがたがた揺らし、組み立て工場が稼働するフィリピン、タイ、ベトナム、マレーシア、インドネシアに飛び火、アセアン諸国全体が大がかりな被害を受けた。工業製品ばかりかタイの農産物やドリアンの輸出も止まり、ベトナムからは多くの果物が国境で足止めされ、値崩れが起きる。チャイナウイルスの経済直撃弾、これを「共産党ウイルス」と呼び変えた国もある。

韓国では自動車部品の輸入が間に合わなくなって現代《ヒュンダイ》自動車の生産ラインがストップ、なかでも大悲鳴に近いのが台湾の鴻海精密工業（フォックスコン）だろう。

ピーク時に中国大陸の雇用が100万人、深圳《しんせん》や鄭州《ていしゅう》に大工場があるフォックスコンは今でも70万人を雇用し、アップルのスマホ組み立てで興隆し、2019年秋までは昇龍の勢いにあった。

この台湾企業は「台湾のトランプ」と言われた郭台銘《かくたいめい》が率いる。ところが米中貿易戦争のあおりで景気の先行きに暗雲が立ちはだかっていた。その窮状に被さったコロナウイルス災禍によって操業再開も衛生検査などで計画が遅れ、輸出の目玉商品が継続生産できない見通しとなった。工員が半分以上、出社しない。マスクが足りないので再稼働も遅れがちとなり、1月30日の株式市場で同社株は9・9%のストップ安となった。同日の台湾株式は、なんと198社が一斉にストップ安。大暴落と同義である。

震源地である中国の株式市場はどかーんと急落した。

10%のストップ安に至らなかったのは当局が「売るな」「悪質な空売りは犯罪として扱う」などと投資家に厳命し、特別の監視チームを組織して目を光らせているからだ。

それでも旧正月明けの2月3日の株式は9%の下落ぶりだった。

同時に資金流出が起こった。チャイナマネーのエクソダスである。

IMFの調べでは284億ドルが中国から海外へずらかり、時価総額にして4兆ドルが株式市場から消えた。株安は日本の株式市場を混乱に陥れ、全面安の展開。特に中国の消費者向け化粧品を売ってきた資生堂、コーセー、ファンケル、そしてマツモトキヨシ、ビックカメラ、ヤマダ電機など投資家が震撼《しんかん》するほどに下落を演じた。

アジアばかりではない。欧州でも中国からの部品供給が止まって、フィアット・クライスラーが生産を停止した。イタリア北部は工業地帯、ミラノからトリノにかけてフィアットの主力工場がある。欧州の自動車メーカーで、部品を中国に依存している企業は4社。

いずれも操業再開の展望がなく、欧州市場の自動車販売シェアが塗り変わる可能性もある。

ブラックスワンの最悪シナリオに備えよ

「ブラックスワン」は長らく「あり得ない鳥」と目され、「考えられない災禍」という文脈で比喩された。

実際には豪州で黒い白鳥が見つかり、想定外の現実が起こり得る喩えとして市場関係者の用語になっていた。筆者自身、ニュージーランドはオークランドの市民公園でブラックスワンを目撃したことがある（次ページの写真）。

デビット・ルーベンスタイン（カーライル・グループ創業者）は「市場におけるブラックスワン」として、⑴中東などにおける軍事衝突の大規模化。つまり戦争、⑵日本とアメリカの債務の爆発、⑶世界的なパンデミック（伝染病）の大流行の三つを挙げた。

しかし筆者からすれば、これら三つのシナリオは「想定内」のことでしかなく、ブラックスワンの最悪シナリオとは、第一に中国の債務不履行により世界の債券市場の壊滅的打撃、第二に中国経済の沈没による世界経済の大幅な後退、そして第三に伝染病を地域に限定させるための中国封じこめが想定されることである。

中国のサプライチェーンに組み込まれた日本、台湾、韓国経済のみならずＡＳＥＡＮ全

ブラックスワンの写真。ＮＺのオークランドの公園。　（撮影：著者）

体の経済が大規模な停滞に陥るのである。中国は近代化のピッチを突如中断し、世界のお荷物になるリスクがある。

日本ではリゾートやテーマパーク、観光地、温泉などで中国からのインバウンド客が激減し観光業界が大不況に突入したと騒ぐが、これは第一段階でしかない。目標４０００万人が日本政府の東京五輪での目標値だったが、達成は困難だろう。

次の段階は中国のＧＤＰ成長率がマイナスへ転落し、中国依存のサプライチェーンに巻き込まれてきたアジア諸国の大幅な景気後退。日本もＧＤＰがマイナス10％台に陥没する可能性が日増しに高まっていることだ。

中国から逃げ出したカネは次の投機機会を見出せずに滞留すれば、それもまた厄介な問題を生む。資金が債券市場に滞留すると利下げが起こる。投機的で流動的な巨額が原油や穀物市場への投機は考えにくいから、あるいは米国、欧州、日本の不動産市場への投機という、やけくその投資行動が起こるかも知れない（実際に東京都心のマンションが高騰した）。

事態がここまで悪化した元凶は中国の情報隠蔽と、出鱈目《でたらめ》な情報しか上に上げない全体主義システムの構造的欠陥である。この具体的な検討は第5章で詳述する。

またWHOの事務局長が、中国の指示に従って非常事態の宣言を遅らせ、情報を開示せず、旅行中止はやり過ぎなどと中国寄りの発言を続けたため、特に日本の対応が致命的に遅れた。日本は依然として国連信仰の、プリンシパルのない追随国家という印象はぬぐえない。

現実には中国のガソリン消費が激減し、ひいては原油輸入が相当ていどの落ち込み、したがって原油市場も20％から25％安の市況となって産油国ばかりか、ロシアが悲鳴を上げた。

ロシアは米国同様に中国からのフライト乗り入れを全便禁止しており、また海南航空、中国南海航空はロシア人スタッフ１００名をいきなり解雇した。４２００キロの国境線にある九つの国門（満洲里、スイフェンガ、ウスリー、黒河など）を封鎖し、出入国を厳格化した。中国からのツアーは全面的に入国禁止である。このためオーロラ観測で中国人観光客が夥《おびただ》しかったムルマンスクの観光ツアーは8割減。

労働就労ビザも差し止め、遠くボルガ川流域の学校まで閉鎖措置、中国との鉄道も事実上輸送を止めている。「開いているのはガス・パイプラインだけ」という（「モスクワニュース」、2月9日）。

エカテリンブルクへ赴任した中国領事は「2週間、領事館に留まれ」として、外務関係の業務もストップ、かくしてロシアも中国とは蜜月関係にありながらも、米国と同様に国防第一の措置を取っているのである。

この先、いったい何が起きるのか、中国経済はどこまで沈むのか？

そして全人代も五中全会も開けない習近平の政治生命はいつまで持つのか、本書で多彩な角度から検証してみたい。

令和2年3月

筆者識

第1章

未曽有の災禍はどこまで拡大するのか

中国の虎の子の対米輸出が激減

かつて悲劇は繰り返された。SARS、MERS、エボラ、そして武漢肺炎。それ以前にもスペイン風邪、香港風邪の流行があった。中世には黒死病、ペスト、コレラ災禍によって、夥しい人々が犠牲になった。今でもインフルエンザは毎年1万人以上の死者が出ている。

中国経済沈降の下地は米中貿易戦争だ。

2019年に中国からの対米輸出は20・8%の激減ぶりとなった。トランプ政権の登場によって米中貿易戦争が勃発し、輸出が激減したのは主に高関税の影響だが、過去30年間の賃金上昇が基本の要素のひとつである。中国の賃金高騰は過去四半世紀で10倍以上になり、日本並みになった産業はIT、通信関連だった。当然ながら輸出競争力は失われる。

速報によれば中国の一人当たりのGDPは1万ドルを超えたという（この数字を国際機関は認めていないが）。なにしろ海外旅行を楽しめる中産階級が中国に1億人もいる。

高関税のため中国における生産は赤字に転落した企業が目立つ。

特に中国の繊維産業、雑貨、スポーツシューズ、玩具などが中国から脱出し、アジアに工場を建設した。ついで中国に進出した外国企業が、便乗して工場を移転させた。外国企業が逃げ遅れた理由は撤退条件が厳しく、手続きに時間がかかるからだ。工場設備の移転は困難を伴うのだ。日本企業の中小零細は、撤退するに際して最低でも1000万円の支出を余儀なくされた。

第一にたとえ米国が関税を引き下げ、米中貿易戦争が解決しても、いったん出て行った企業は中国には戻らない。戻るとすれば、中国の賃金がベトナムやカンボジアより低くなったときだ。トランプ政権は米中合意による関税引き下げの第一弾として、2月13日から15％を7・5％に引き下げ、一部の報復措置も緩和した。しかし残り3700品目に課している25％関税はまだ引き下げる兆しがない。

第二に製造業にとって、部品、部材企業がすでに中国から移動しているため、中国国内のサプライチェーンも崩壊寸前にある。物理的な強制力をともなって撤退せざるを得ない産業がこれからも増えるだろう。

第三に賃金を低めにしても、現在の中国人は一度贅沢《ぜいたく》を知ってしまった以上、安い工場への労働力は消滅しつつある。3k現場に中国人は行きたがらない。海外プロジェクトの現場は囚人が派遣されている。

かつて「中国の繁栄は今後も続く、経済成長は安定的に持続する」と唱えていたエコノミストたちはこのところ静かである。中国「賛歌」は「惨禍」となった。

海外投資激減で反中感情が加速

中国の海外投資も旋風が突如消えるかのようにピークを打った。残るのはプロジェクトの残骸《ざんがい》である。対外純債権がほとんどない中国は対外債務にこれからは悩まされるだろう。

すなわち「一帯一路」の失敗と膨大な不良債権の山。中国からプロジェクトを持ちかけられ、「借金の罠」に落ちたとされるスリランカ、パキスタン、カンボジア、ラオスなど、逆に言えば借金を返済できないから、これは中国にとっても借金の罠に自らが嵌《はま》り込んだことになる。IMFに解決をゆだねる場合、中国の債権は80％の棒引きとなる。

中国は国内景気沈降をカバーするために盛んに外国へプロジェクトを持ちかけた。表向きの看板に「一帯一路」を掲げた。

そしてほとんどが挫折した。パキスタンへ620億ドル、ベネズエラへ420億ドル、アフリカ54ヶ国へ合計600億ドル。これまで中国が一帯一路関係でプロジェクトに投資したのは推計1兆ドル。たぶん、この多くが焦げ付くだろう。

それでも懲りずに、中国は南太平洋の島嶼《とうしょ》国家にも金をばらまきながら近づき、バヌアツ、フィジー、パプアニューギニア、トンガ、ソロモンなど次々と籠絡《ろうらく》して台湾と断交させた。

欧州各国でも中国が鉄道、高速道路、「ＢＲＩ（一帯一路）」のインフラ整備のプロジェクトを主導し、現在１３２の工事が進捗《しんちょく》しているのだが、ＥＵ商工会議所中国支部が１月16日に発表した年次報告によれば、１３２のうち欧州企業が直接関与するのはたったの７件、ほかに13件がサブ・コントラクターで、残りはすべて中国企業だと不満を述べていることがわかった。

現地の労働市場から雇用はなく、地元に裨益《ひえき》することはなく、いったい何がウィンウィンだ、と手厳しい。

国際入札が義務づけられているが、情報の透明性はなく、入札の告示はほとんどなされず、40％のプロジェクトの入札条件が不明瞭《ふめいりょう》だと同報告書は訴えており、ＥＵ全体に拡がる中国への不信感を表している。

当初、欧州も中国の「21世紀のシルクロード建設」に大いなる期待を寄せた。

しかしブルガリア―セルビアの鉄道は、ハンガリー側で着工さえなされておらず、モンテネグロの高速道路は、数年前から汚職で批判の的となり、イタリアはトリエステ港の近代化を期待してはいるが、いずれプロジェクトは空中分解するだろうと予測している。

一時期フィンランド財界が目を輝かせた不凍港からヘルシンキへの鉄道建設も、中国が北欧での印象を操作するだけの架空のプロジェクトに終わりそうだと予感している。

就中《なかんずく》、反中路線に百八十度、姿勢を変えたのがポーランドとチェコだった。

ともにファーウェイ排斥に米国と同調した。ハンガリーのオルバン首相は反中というより反独であり、独自の中国政策を採用しているものの、中国が提唱したシルクロードの建設プロジェクトの遅延、入札前の汚職に苛立ちを強めている。


南太平洋の島嶼国家への中国の乱暴な進出に対して、米国、豪州、ニュージーランドなどは自らの庭をかき荒らされたという認識となり、不満が募り、反中国の姿勢をかえって強めることになる。


当該国家でも中国のやり方に反感を強める動きが顕在化した。

ベトナムでフィリピンで、「中国は出て行け」の抗議デモが盛んである。

チェコのプラハ市は、上海との友好都市を破棄した。チェコと中国は外交的にうまくやっていたのは昨日まで。首都のトップは中国人を嫌い、友好都市はやめようと言い出したのだ。


世界的規模で起きている「反中国」の合唱を前にして、少しでも劣勢を挽回するべく習近平はコロナウイルス騒ぎも横目にミャンマーを訪問した。

ミャンマーのチャウピューの汚い港　（撮影：著者）

２０２０年１月17日、習近平主席はミャンマーで、シルクロード構想（一帯一路）の目玉プロジェクトのひとつ、チャウピュー港湾整備事業（免税工業特区建設など）を正式にぶち挙げた。

これはスリランカのハンバントタ港、パキスタンのグアダル港、そしてバングラデシュのチッタゴンの浚渫《しゅんせつ》工事請け負い、モルディブの無人島開発など、「借金の罠」作戦の一環と考えられ、インドが警戒を強める。中国の一帯一路とはインド包囲網の建設ではないかと軍事的懸念が拡がるのである。この危機意識は米国のトランプ政権も同様であり、トランプは予備選の最中の２月24日にわざわざインドを訪問し、それもモディ首相の出身地グジャラート州を視察するという演出を行った。

ミャンマーの西海岸に位置するチャウピュー港は中国へ向かうガス・パイプラインがすでに敷設されており、雲南省の昆明と結んでいる。

地中にパイプラインが埋められているので、現場へ行っても運転手の指摘があるまでわからなかった。

チャウピュー郊外に広がる広大な土地（台地のような農業地帯と山林）はすでに中国が買い占めており、大きな看板と事務所のビルが建っていた。しかし筆者が取材した時点（19年1月）では工業団地や港湾などの工事を始めた様子もなかった。けたたましくも勇ましい掛け声だけで、実態がないことを筆者はレポートした（拙著『日本が危ない！　一帯一路の罠』、ハート出版を参照）。

工事の遅れはラカイン州の地政学的要衝において、チャウピューが適切か、それとも北のシットウェイ港のほうが適切かを判断しかねたこと、スーチー政権が最終的な態度を示さなかったことなどに起因する。

ラカイン州は、ロヒンギャが集中して住んだ地域である。仏教過激派がイスラムのロヒンギャを追い出し、彼らはバングラデシュに逃れた。その数最低でも70万人、国連の援助でテント生活が続いている。このロヒンギャの難民問題で世界のメディアが騒ぎ、ミャンマーは国際的孤立を深めていたうえ、当初示された中国のプロジェクト予算があまりにも膨大で、総額70億ドルをミャンマーが最終的に支払えないことが明瞭、したがって13億ドルへの減額という決定が出るまでに時間を要したのだ。

中国は、ミャンマーが国際的孤立に追い込まれた隙間に忍び込むようにしてスーチー政権に近づき、2019年には王毅《おうき》外相がネピドー（首都）入りして、最終案を煮詰めていたのである。ミッソンダム建設中止で冷却化していた中国とミャンマーの緊張関係は、突如、友好関係に変貌《へんぼう》した。

バングラデシュとスリランカへ、プロジェクトの決定前に中国はフリゲート艦を寄贈している。ならばミャンマーへは？

同国の政治実権はスーチーにはなく、軍が握る。軍が賛同する背景に何らかの軍事的な装備の贈り物があったはずだろう。

兵器の汎用部品となる製品を中国へ輸出するな

中国のIT、ならびにスマホ、パソコン産業は稼ぎ頭だった。コロナウイルス災禍により、製造分野で死活的な遅れが露呈した。

半導体製造装置を作れるのは日本と米国、そしてオランダである。韓国と台湾も部分的な製造装置は作っているが、大局的技術として影響が薄い。

そこで中国が狙《ねら》ったのはオランダだった。リソグラフィ（露光装置）に優れる蘭ASML社がターゲットとなった。なにしろ中国は半導体を自製できないためインテル、クアルコム、サムスン、そして最大の供給源は台湾のTSMC（台湾積体電路製造）に依存してきた。中枢部品は日本依存だった。

2019年1月、オランダ政府は対中輸出ライセンスを与え、出荷直前だったASML社のリソグラフィ装置の中国企業（SMIC社と言われる）への船積みを保留した。契約金額は1億5000万ドル、SMICの中国名は「中芯国際集成電路製造」、今のところ中国最大の半導体メーカーである。

世界最大の半導体メーカー、米インテルがZTEへの半導体供給をやめたため、ZTEは倒産しかけた。習近平がトランプに緊急に電話し14億ドルの罰金（イランへの不正輸出）を支払って供給を条件付きで再開してもらった。

そのインテルは主力工場をイスラエルへ移管する。明らかに中国を避けた。

中国企業はクアルコム買収にも迅速に動き、M&A成立寸前にトランプ政権が割って入った。クアルコムが中国籍になる寸前だった。

問題は半導体設計の大手、英国のアーム社である。これを3兆円の巨費を投じて買収したのは孫正義《そんまさよし》だった。アーム社は設計図の中国への提供を規制した。このためチャイナアームという怪しげな合弁子会社が中国に誕生し、孫正義は保有した株式を、前者中国合弁のファンド筋に売り払っていた。

ＴＳＭＣには「軍事用半導体を米国で生産するように」とトランプ政権が圧力をかけた。同社は次世代ジェット戦闘機Ｆ35仕様の半導体を製造しており、このハイテク兵器部品が中国に流れる可能性が高いため、トランプ政権は執拗《しつよう》な圧力を継続している。そこでＴＳＭＣは二股《ふたまた》をかけて、制裁を回避するため中国に合弁企業を新しく作り、この面妖《めんよう》な合弁企業に、なんとエンジニア３０００名が移籍した。表向きの理由は給料が2倍なので、大挙してスカウトされたとした。

中国でのＩＴ産業、スマホなど一連の新時代のハイテクは「民間」企業が立ち上げた。とはいえ、アリババもテンセントもトップが共産党員、ファーウェイは軍部との密接な関係があることは天下周知の事実である。

中国はデジタル監視技術や公安データ、防犯システム、送電管理、リチウム電池製造メーカーなど40社以上を昨年末までに国有化した。美亜柏科、連光軟件、英飛拓、東方網力などだ。

「ハイテク企業のテコ入れ」を表向きの理由としたが、本質的にはハイテク企業の統括と軍事技術との整合性の深化にある。

同時に中国は国有企業の人事を次々と入れ替え、しがらみのない、汚職に染まりそうにないエリートと交代させている。しがらみがなければ透明性が高まるだろうけれどその分、経営的なマネジメントに遅れが出るだろう。シノペック（中国石油化工集団）、CNPC（中国石油天然気集団）、それに送電大手の「国家電網」などだ。

総合的な見地からいえば、米国の中国排斥戦略への対応であり、国家安全保障の発想から組織的再編を急ぐわけだが、ファイナンスの面から考えると、首をかしげたくなる。

アリババは潤沢な資金があるはずなのに、香港の株式市場にも上場した。5億株の新株で、およそ1兆2000億円をかき集めた。アリババはすでに2014年にウォール街に上場しており（時価総額54兆円。このうちの14兆円がソフトバンク保有）、香港でも上場となると重複になるが、問題は「なぜ、資金が必要なのか？」ということだろう。なぜなら新株発行というのは、新しい借金を意味するからである。

テクノ・ナショナリズムは次世代技術の開発速度を鈍らせる

米中貿易戦争の妥協は、技術戦争とは別次元の話である。

米英に漲《みなぎ》るテクノ・ナショナリズムは次世代テクノロジーの開発速度を遅らせる。しかしトランプ政権は中国に後れを取った「５Ｇ」を飛び越えて、「６Ｇ」を目指すとし、日本も大がかりに協力する方向にあり、２０３０年をひとつの目処とする。

一方、中国は「中国製造２０２５」を政策的目標として、第一に半導体の自製化。第二に宇宙、航空、新素材、医薬、化学、輸送機械、ＡＩなど10の分野を開発強化目標とした。当面の目標値は２０２０年に40％、２０２５年に75％の自製か目的達成がメルクマールだという。

しかしテクノ・ナショナリズムが燃える米国は中国資本の米企業買収を阻止し、技術スパイを摘発し、ファーウェイ、ＺＴＥなど84社をＥＬ（エンティティリスト＝「ブラックリスト」）に挙げて排除したばかりか、英国にも圧力をかけ、通信インフラからも中国勢の排除を迫った。このために英国はインフラ再整備のために12億５０００万ドルを必要とする。

またベンチャー・ファンドの中国への投資にも警告ランプを灯したため、２０１８年に１７４億ドルだった欧米ファンドの中国ベンチャー投資は２０１９年度にわずか40億ドルに激減した。

米国企業はサプライチェーンの改編を急ぐが、世界の半導体の45％が米国、24％が韓国というシェアであり、米クアルコムは売り上げの60％を中国に依存している。

同マイクロンが50％、ブロードコムが45％である。したがって、いきなりのサプライチェーン改編などと謳っても、最低3年ていど時間を要することになる。

習近平が怖れていた事態は「灰色の犀」だった。まさか「黒い白鳥」が中国経済の中枢に舞い降りるとは考えてもいなかった。灰色の犀がいよいよ出現した経過は見てきたが、昨秋（2019年）から中国企業の社債償還不履行が頻発し始めたことはとりわけ要注意である。

山東省といえば、軍人出身者が多い土地柄であり、孔子《こうし》の生まれ故郷だ。軍港も多く、安全保障上の要衝である。渤海《ぼっかい》湾沿岸の諸都市は一時期、韓国からの投資が目立ったが、不景気とともに多くが夜逃げ、マンションは歯が抜けたようになって済南、青島、威海衛など経済的にぱっとしなかった。

三洋電機と提携したハイアール（海爾）も電化製品の売れ行きが横ばいからマイナス。つまり山東省を牽引《けんいん》する主力産業がなくなった。

鉄鋼大手「西王集団」が社債デフォルト（150億円）をやらかし、中国の社債市場に警鐘が乱打された。ドル不足に陥った当局の政策変更で与信枠が縮小した（デレバレッジ＝過剰債務の圧縮）ばかりか、共通するのは銀行が「借りろ、借りろ」と薦めたため、具体的な拡大計画も青写真もなく、無造作に巨額を借りた。

土地投機、株式、ＦＸ相場への投機にあて、海外における企業買収（例えば山東省の山東如意科技集団は英国の老舗テキスタイルを買収した）や無謀な設備投資（中国宏橋集団など）、ブームに乗り遅れた不動産投機などで焦げ付きが生じ、次に銀行が「貸しはがし」に転じたため社債のパンクが連鎖した。

内蒙古省の地方政府直轄企業とも言える「フフホト経済技術開発区投資開発集団」が発行した債券は昨師走に償還ができなかった。デフォルトは准公的機関でも起こり、株式なら下落で投資家が損をするが、安心といわれた債券の償還不履行となったのだ。投資家にとっては資産がゼロ化する。

省都フフホトの包商銀行は破産し、公的機関の管理に置かれた。地方銀行の破産が併行して起きた。

もっとも衝撃的なデフォルトは中信国安集団である。この「中信」は巨大企業ＣＩＴＩＣ傘下であり、絶大な信用があるとされた。唐突に67億円の預金が凍結された。引き続きカリウム肥料大手の「青海塩湖工業」、ゼネコンの「南京建工産業集団」、また海航集団関連の大新華航空、東旭光電科技、永泰能源などの債務不履行が連続した。

中国の債権市場の規模はおよそ５００兆円、２０２０年1月からは「ジャンク債市場」を整備する。ジャンク債というのは投資危険というグレードの債券である。それでなくとも中国民間企業の社債デフォルトは４・９％に達し、異様な状況に陥っている。武漢の肺炎のように、またたく間に債務不履行の蔓延だ。

２０１９年12月、天津物産集団がデフォルト（３３０億ドルのドル建て債券）、ついで北大方正集団が３１０億円の社債償還ができず、政府の継続的援助の展望が望めないことが判明した。北大方正集団と言えば、ベンチャーの嚆矢《こうし》として華やかなビジネス展開をしてきた有名な大学企業ゆえに、去就が世界から注目される。

それなのに中国は新幹線（中国では新幹線を「高速鉄道」と言う）、累積赤字の拡大は無視して、まだまだ新線の強気建設を続けている。大破産へ向かってまっしぐらに驀進《ばくしん》中だ。

２００８年北京五輪直前に、中国新幹線第一号（北京〜天津間）が開通した。爾来《じらい》、わずか12年、全国に網の目のように拡大された新幹線の営業キロは３万５０００キロ、とうに日本の10倍以上に達している。

「三大無視路線」といわれるのは、環境破壊、安全性、財務バランス無視という基本の発想があり、ひたすら拡大することにある。経済性は最初からネグレクトされている。「測量しながら、設計し、同時に着工する」という三つ同時の離れ業！

事故は気にせず、手抜き工事は常識、安全性は保障されず、ひたすらレールを敷いて、橋を架け、トンネルを掘り、高架の連続。基本的に土地の収用は手間がかからず、立ち退かない場合は夜中にブルドーザーを投入、立ち退き家屋の補償も、地元幹部によってちょろまかされている。

工費対収入バランスはどうかと言えば、黒字化したのは北京―上海、広州―香港くらいである。運賃が安いため、元が取れるかどうか。例えば北京―張家口は運賃がわずか13ドル。1等車とグランクラスがあるが、金持ちはグランクラスに座るから、すぐに満席、1等車は3両連結だが、いつもガラガラである。

どれだけの迅速さで営業キロ数を伸ばしてきたかと言えば、2010年に8358キロだったが、2015年には1万9000キロに達し、2018年には2万9000キロも工事をやってのけた。現在の推計で3万5000キロだ。

当然ながら下請け、孫請け業者からの賄賂《わいろ》が横行し、はては納品の弁当屋から、車内雑誌の印刷屋まで「上納金」が必要となる。上層部は賄賂漬けになる。鉄道利権は軍と江沢民派が支配してきた。

2008年から2018年までに新幹線工事に投入されたのは7兆6761億元で邦貨に換算して130兆円（1元を平均17円で計算）以上が累積赤字となっているが、誰も気にしている様子はない。

思い出しませんか。日本の国鉄民営化のおり、累積赤字が24兆円だったことを。

親方日の丸ならぬ、官僚的体質だから、究極の赤字は中華人民共和国が負うことになる。それは国民ひとりひとりの将来の負債として重く乗りかかるだろうが、中国人エコノミストはほとんどが体制翼賛会的な御用学者だから、危険性を指摘しないのだ。

新幹線の財源は「鉄道債」を起債してきた。

手品の一種であり、明るい展望だけを投資家に提示すれば、ジャンク債とわかっていても買い手がいるのだ。購入は国有銀行とファンド、金利は相当高いが変動する。無理矢理のGDP拡充の一環として、突貫工事が強行され、人のいない砂漠、誰も行かない山岳地帯にも新駅が作られた。

手元資金不如意となって、今度は新幹線網を、日本の国鉄分割のように、幾つかに分け、黒字の北京―上海間の企業は上場させて、回転資金をかき集めた。ほかの路線の財政健全化の目処はまったく立っていない。

中国の体質「情報の隠蔽、操作」が悲劇を倍加させた

中国人の訪日客の派手な購買力、そのコスモポリタン的な洒落た服装、なにしろ大半が一眼レフをぶら下げていた。中国人のインバウンドに依拠していた日本各地の観光地、温泉は現在休館、閉店に追い込まれており、いかに中国だけに頼ってきたビジネスにリスク

が潜在したかを物語る。

コロナウイルス災禍は世界に同時に伝播《でんぱ》し、航空会社の乗り入れ禁止措置は欧米から、ベトナム、シンガポール、ミクロネシアに拡大した。JALとANAは中国便を6割減（2020年2月現在）。アメリカは全便運休という措置だ。

隠蔽体質に関して言えば、かの浙江省温州市郊外で起きた新幹線事故のとき、事故車両を土中に埋めて、「なかったこと」にしようという大胆な隠蔽工作が、テレビ中継で暴露されたように、2003年のSARS騒ぎも情報の隠蔽が悲劇を倍加させた。

すでに2019年10月頃から異常が報告されていたのに、当局は情報を隠した。告発した医者は当初犯罪者扱いされた。当該の李文亮医師の死去報道は、中国全土に衝撃を与え、突如「英雄」として祀《まつ》られる。

経済的な被害はこれからじわり出てくる。

状況の改善展望がまったく見えず、中国の製造業の停滞は、少なくとも以後半年、生産計画に狂いを生じさせる。中国政府は通貨供給を増発、ついには利下げに踏み切った。もし経済成長という情報が真実なら、利下げではなく利上げすべきだろうから、実態が逆にあることをいみじくも物語っている。

物流にも支障が出た。

なにしろ武漢は孤立している。交通アクセスが厳しく制限されると食糧の調達ができなくなり、医薬品の不足ばかりか市民生活が成立しない状況に陥った。マスクの奪い合いから食糧の奪い合いになるのは時間の問題である。げんに湖北人への襲撃事件が敏発している。

緊急に「病院」を10日間で建てたが、映像で見る限り、あの病棟施設は、むしろ「院内感染」が懸念される。治療ではなく隔離所でしかない。事実、死者の数は爾来、鰻《うなぎ》登りではないか。

全国からボランティアの医師、看護師を募るといっても応募は少なく、結局、軍医が動員されている。外国からの、例えば「国境なき医師団」の支援を中国は拒否している。だから状況はますます悪化することになる。

香港航空は400名のスタッフを解雇した。残りの社員に関しても「2月17日から6月いっぱい自宅待機。そのうえこの間の給与は与えられない」とビックリ、事実上全員の解雇宣言である。

香港航空、じつは悪名高き「海航集団」のフライト部門、海航集団そのものが経営不振に陥って国有化され、業務は全面的に停止している。王岐山《おうきざん》が深い関与をなしてきた面妖な企業だけに、倒産は免れたものの、形骸だけが晒《さら》されていた。

香港のフラッグキャリアは「キャセイ・パシフィック」（国泰航空）である。中国へのフライトの90％が止まり、香港経由しての日本、シンガポール、米国、欧州へのフライトも30％の減便をしている。この「キャセイ・パシフィック」は、2万7000名の従業員に2週間から3週間の「無給休暇」を義務づけた。

大局的に見ると武漢ばかりか、多くの都市が封鎖されている。事実上、4億人が孤立し、隔離されていることになる。この異常事態が年内も続くとすれば、次は暴動、そして餓死者が続出するだろう。

中国の脅威の光りと影

業田良家『それ行け天安閂（2）』（産経新聞出版）はコミカルに、きつい毒をたっぷり含ませた痛烈至極のジョークのような中国批判が展開されている。たかが漫画というレベルではない。その激烈痛烈な批判精神が1コマ、1コマに勇躍しているのである。

登場人物は「トランプタワー大統領」「集金平」「パクゴネ前大統領」「ラスプーチン大統領」。なんといっても陰の主役は天安閂元国家主席（毛沢東を模した）。

こんな会話がなされている。

香港問題を巡って。

集金平「港香（香港の逆さま）は国際的な金融センターです。だから慎重に扱わなければいけません」

天安悶「お前の資産4兆円も港香を通じて海外に送金しなくちゃいかんからな」

集金平「わたしなんかそんな。江沢眠同志なんか100兆円の資産ですよ」

天安悶「だから港香は慎重にあつかうっぺ」

またスマホの米中戦争で根幹のソフトOSを巡って。

米国の声「我が社はファァーラウェイ（「ラ」が挿入）製品を使いません。部品を売りません。OSを提供しません」

天安悶「グーグルのOS『アンドロイド』が使えなくなったら、我が国のスマホはただのガラクタじゃないっぺか」

集金平「大丈夫です。すでに独自OSを開発しております。その名も『アンドロイドイド』。

天安悶「パクリましたと言ってるような名前だな」（欄外に註釈。「接尾語の『O-id』には、『〜のような』という意味があります」と断り書きが親切に付帯している）。

抱腹絶倒、やがて悲しき全体主義独裁の国の悲劇！

かくしてチャイナがナチスそっくりだというのは香港の若者たちが作ったポスター『CHAINAZI』に象徴されている（拙著『CHINAZI』徳間書店も参照されたし）。五星紅旗にハーケン・クロイツを重ねるという卓越したデザインはまたたくまに世界のジャーナリズムが伝えた。ナチスとの近似は臓器狩り、少数民族への過酷な弾圧を見ても、近似しているどころか、ナチスを超えている。

ヒトラーもビックリのおぞましき習近平の独裁である。

ブレジンスキーがカーター元大統領らと訪中し、「G2」（世界を米中で分け合う）をぶち挙げたときが米中蜜月のピークだった。直後から米中関係にひび割れが生じ、G2は、見事な徒花となった。

ヒラリー国務長官（当時）は、国務省のパソコンを使わず、自宅地下室にサーバーを設置して、秘密通信を自分のパソコンでやってのけた。しかも国務省の機密が中国にすべて読まれていた！

オバマ大統領は最初、とぼけていたが、じつはヒラリーとは暗号名で通信していた事実もバレた。オバマ政権の中国とのずぶずぶで乱れた、薄汚れた関係をぶち壊すにはトランプの登場を待たねばならなかった。米国が崩壊するところだったのだ。

日本も遅ればせながら、「価値観外交」を唱えた。つまり自由と民主主義の価値観を共有しない国とは距離を置くという意思表明であり、安倍政権の「一帯一路への協力」というのは、「質の高いプロジェクトに関して」という付帯事項が付いている。

トランプ政権は対中タカ派が勢揃いして、本格的に北京とコトを構えていることはペンス副大統領の演説が証明している。

トランプ政権にとっての世界秩序はキッシンジャー的世界からの離脱を目指していることであり、台湾は半導体工場であって西側ハイテクの核心、だから米国は鮮明に台湾防衛を謳い、台湾海峡に中国が空母を遊弋《ゆうよく》させれば、米軍はただちにB52爆撃機を飛ばして牽制した（台湾関係の詳細は次章）。

3年以内に半導体を自製せよ！

ファーウェイが排斥された窮状から這い上がるために、習近平は「3年以内にICもソフトウエアも中国の自製とせよ」との大号令を発令し、開発補助に290億ドルを投下するとした。

米中貿易戦争は、関税レベルの話でいずれ妥協が成立する。トランプ政権は2019年12月15日発動予定だった第四次高関税適応を見送り、中国もかなりの点で妥協した。重要視するのは関税ではなくハイテク戦争である。

米中貿易戦争は双方に高関税の悪影響、痛みが出たが、問題はこの結果が中国経済に何をもたらしたか、である。

コロナウイルス災禍より前の段階ですでに、米中貿易戦争の深化によって世界のサプライチェーンが激変し始めていたのだ。

中国が世界の工場であり、部品が台湾、日本、韓国から輸出され、完成品が中国から欧米へ輸出された。この基本スキームが激変し、中国の通信機器、基地局は米国、豪、ＮＺから締め出された。サプライチェーンの再構築に向かい、例えばインテルは主力工場をイスラエルへ移転し、サムスンはベトナムへ移転した。

日本もファーウェイ、ＺＴＥの基地局は不使用とし、台湾は事実上の半導体輸出に支障が出始めたため中国との合弁で切り抜けようとして米国から警戒の眼で見られている。

トランプ政権は当初のＥＬ（エンティティリスト）にファーウェイ、ＺＴＥなどを載せたが、追加でセンスタイム、メグビル、ハイクビジョンを加えた。監視カメラ、顔識別などのハイテク企業がウイグル族弾圧に使われていることが排撃の理由とされた。さらに検閲の技術を持つティクトク、バイトダンスなどもブラックリストに加える。ＡＩ、５Ｇの開発企業だからだ。

とはいえ、5Gの根幹は米国の技術であるうえ、OSはグーグルのアンドロイド、MSのウィンドウズなどであり、独自のOSを中国が確立するには、1からのやり直しとなるだろう。「非アメリカ化」のスローガンこそ勇ましいが、早期の達成が可能とは考えにくい。

中国は「3年以内にICもソフトウエアも中国の自製とせよ」との大号令、シリコンバレーや全米の大学、ラボに留学、もしくは研修中だった留学生、研修生たちが、ビザ延長ができず大挙して中国に帰国した。

この海亀派が確保できるから、北京政府は開発補助に290億ドルを投下すると豪語したまではよいが、OSや半導体のほかに、いったい2000から3000あるとされる部品のすべてを中国が自製することは、おそらく不可能である。

そこは巧妙狡猾《こうかつ》な中国である。トランプのファーウェイ排除の「抜け穴」を狙う戦術に出た。対象は台湾である。半導体技術者数千人が中国に買われ、ソフトバンクが代理人をやらされた。

いくら中国がスマホ生産で世界一でも、中核部品の半導体を自ら製造できず、半導体装置は外国から輸入しなければならず、加えて5Gが前提とする4Gの基本特許が米国クアルコム。搭載されているソフトはグーグルのアンドロイド、半導体設計は英国アーム。だから中国は、業界ごと壊滅の危機に晒されていた。

トランプ政権は2018年4月にZTEを制裁したのを皮切りに、同年10月には福建省晋華集成電路の取引を規制し、19年にはファーウェイとの取引を全面的に禁止した。もとよりファーウェイ、ZTEなどは半導体は米国インテル、日本、そして韓国サムスンと台湾のTSMCが供給源だった。

まして半導体装置は日・米、そしてオランダのメーカーである。日本の半導体エンジニアもかなりの人々が中国に派遣されている。それは武漢から五次にわたったANAチャーター便で帰国した日本人の半数が半導体関係だった事実が証明している。

台湾のフォックスコムが、中国国内最大の部品供給企業だったが、米国の対米輸出規制のあおりを受けて広州に完成させた新工場はペンペン草。日本などから出荷寸前だった製造機械やラインは船積み前に待ったがかかった。

中国は劣勢挽回に巧妙な作戦を静かに展開させて捲土重来《けんどちょうらい》作戦に出てきた。日米ならびに台湾、韓国から技術者を高給で釣り、あるいはハニー・トラップを行使して中国へ吸い込んだ。米シリコンバレーからは、イデオロギー色の薄い理工系エンジニアの相当数が中国へ渡った。2018年12月1日、カナダで拘束されたファーウェイCFOの孟晩舟《もうばんしゅう》拘束と同じ日に、シリコンバレーで「自殺」した張首晟《ちょうしゅせい》博士の事件がある。

真相は謎のままだが、彼は中国共産党の命令を受けて、優秀なコンピュータ・エンジニアなどをスカウトし3倍の高給を提示して、中国へ送り込む、面妖な「財団」を運営していた。ＦＢＩが内偵を進めていた。

天下の名門ハーバード大学もチャイナ・マネーで汚染されていた。中国の作戦は「ニューフロント」と呼ばれ、知財の入手ばかりか、有能な学者のスカウトなどに力点が置かれていた。トランプ政権は、このアメリカの頭脳の汚染に警戒を強め、同様な汚染がエール大学など名門校に拡大しているとして、中国との共同研究などのプログラム閉鎖をもとめてゆく方針だ。

ハーバード大学の内部の論文多数を中国に提供し、特許申請にも助言していた同大化学部教授のチャールズ・リーバーはカフカス人。見返りに毎月5万ドル、経費15万８０００ドルを別途中国から受け取っていた。チャールズ教授は、研究所ラボの知財資料をせっせと中国に提供し、武漢のラボに渡していた疑惑があり、マサチューセッツ州司法長官がボストン裁判所に起訴した。有罪が確定すると五年の懲役、罰金は25万ドルという。米国教育省に拠れば、全米の大学に中国から「寄付」名目で投下されたチャイナ・マネーの総額は65億ドルに達するとされ、盗まれた知財は推計で６０００億ドル相当に達すると見積もられている。ＦＢＩは、過去に中国と共同研究をしてきた学者にターゲットを絞り込んで内偵をすすめており、この捜査に驚愕して中国人スパイが突如、所在不明となり、指名手配されている（「サウスチャイナ・モーニングポスト」2020年1月19日）。

深刻な問題は半導体の設計で世界シェアの9割を握る英国「アーム社」である。

前述のように、このアームを2016年、米中貿易戦争が勃発する前に孫正義が買収したが、「先見力がある」と孫のM&Aを前向きに評価する声が強かった。

すでにアーム・チャイナはファーウェイ、ハイシリコンなどと取引を膨張させており、CPU（中央演算装置）を開発している。米国はソフトバンクを、中国資金で動く「中国の代理人」ではないかと、スプリント買収直後から、孫正義の調査を続けているという情報があり、ソフトバンクの資金の一部、とりわけ大型買収の資金が中国系（中国海軍の父といわれる劉華清《りゅうかせい》の娘らが設立したファンドなど）から流れ込んでいる疑惑を持っているという。

次のターゲットは「海底ケーブル」に移行した。

現在、光ファイバー網は世界中に拡がり、複線化も進んでいる。既存の通信ルートはシンガポールと東京、ロサンゼルスが環太平洋の中継ならびに発信拠点である。

この分野にも中国が殴り込みをかけ、南太平洋の島嶼国家を経由する海底ケーブルの埋設プロジェクトを遂行させている。現在、南太平洋に敷設された海底ケーブル網は支線を含めて23路線（全世界で378路線）。拠点化されるのはパプアニューギニアとフィジーである。

携帯電話のユーザーは南太平洋の16の島嶼国家を併せても150万人しかいない。通信ケーブルが貧弱なため、例えば、トンガでは台風被害で海底ケーブルの一部が破壊され、2ヶ月もの間、電話が通じなかった。

テニアンでは2018年10月の台風被害で3ヶ月以上もネット通信、携帯電話が不通となった。だからこそ中国は「環太平洋全域を繋ぐ光ファイバーの海底ケーブル」設置を当該諸国にも呼びかけるのだ。

スパイ通信に転用されることを警戒し、対抗措置を打ち出したのは豪とNZだった。

2018年にはソロモン諸島、パプアニューギニアに繋がる海底ケーブルの入札から中国を外し、19年春には豪首相が地域を訪問して援助を決めた。直後の入札でも、パプアニューギニアからバヌアツへの海底ケーブル工事から中国企業を除外した。

しかしめげない中国、巨額の政治資金（という名前の賄賂）を迂回路から投下して、表看板は「一帯一路」、ホンネは当該国を借金地獄に陥れて担保権を行使するという例の戦術を武器に猛烈なアプローチを続けている。

北極海への野心を露呈した中国海軍

　ことここに至っても中国の野心はふくらみ続ける。

　中国海軍が大型砕氷船「雪龍」の1号と2号を北極海に投入し、海域の調査を開始していたことは広く知られる。

　海温、塩分、深度、海流、そして音響の拡大速度と防音など、多くの中国人科学者、エンジニアが砕氷船に同乗して詳細な調査活動を展開した。調査隊はすでに8回派遣されている。表向きは「環境調査」という触れ込み。

　同時にグリーンランドやアイスランドに軍事基地の建設可能性を窺《うかが》い、すでに潜水艦も北極海の海を潜って、何事かを調べている。ベーリング海では潜水艦の演習も行われた。グリーンランドには中国の水産企業も進出している。

　不快な思いで中国海軍の行動をウォッチしてきたのはロシア、そしてグリーンランドを有するデンマーク、もちろんトランプはグリーンランド購入を打診し、西側世論が批判したが、戦略的思考の結論から提議されたのである。

　これらは中国海軍の戦略的決定から生まれた、確乎たる戦略行使の一環であるとアン・マリエ・ブレィディ博士は『北極のグレートパワー：中国』（2017年、ケンブリッジ大学出版部。本邦未訳）で指摘し、欧米の中国研究家ばかりか、ペンタゴンに大きな影響を与えた。ようするに中国海軍の行動にとって最大の障害は米空母だ。「米軍の空母を遠ざけよ、ミサイルを乱射する用意はできた」というのが中国海軍の姿勢であり、空母キラーといわれるミサイルの実験に成功、米軍の戦略にも。影響を与えている。

日本のメディアは、こうした中国軍の動向をまったく伝えないか、軽視している。戦後の軍事音痴、平和惚《ぼ》けが重なり、今ひとつはどうせ米軍が守っているという、軍事同盟の脆弱《ぜいじゃく》性を知らない人々が奏でる奇妙な日米同盟論の効用である。

中国海軍の公式文書には「新型海域」という表現が見られるようになった。

そこには中国海軍の目標が明言されており、

(1)中国の権益の及ぶ海域の防衛。

(2)核抑止力として、第二撃を潜水艦から発射させる戦略確保のための潜水艦発射原潜の配備。

同時に砕氷船も近く原子力駆動の大型船が設計段階に入った。

コロナウイルス災禍の陰で、中国の軍事的野心は少しも委縮してはいないのである。

第2章

台湾、香港、マカオ、そして韓国の運命

米国は台湾梃子入れを強化

「中国語圏」という文脈で、台湾、香港、マカオ、ついでに韓国の未来展望に関してこの章では考察したい。枢要なサプライチェーンでもある。

世界がコロナウイルス災禍で大騒ぎのさなか、2020年2月3日、ワシントン入りした台湾の頼清徳《らいせいとく》（元首相、次期副総統）はホワイトハウスにいきなり招待されるという厚遇を受けた。

蕭美琴《しょうびきん》・前立法委員が通訳として同行した。蕭は蔡英文《さいえいぶん》の右腕として、また民進党の外交の顔として知られ、米国籍を捨てて台湾政治の民主化のために戦う女傑である。

頼清徳はトランプ大統領主催の朝飯会に出席、ポンペオ国務長官と同じ卓という光栄に浴し、さらに米国上院で有力議員と懇談し、ハドソン研究所でスピーチと考えられないほどのもてなしを受け、興奮気味だった。

いつも常軌を逸して非難する中国側は沈黙した。

わずか1年前の1月2日、習近平は「明日にも台湾を呑み込める」と誤断し、傲慢《ごうまん》極まりない台詞を吐いたものだった。

「習5原則」なる談話を発表し、「台湾は一国両制度を受けいれよ、独立を唱えるなら武力解放も辞さない」と恫喝した。台湾はへなへなと崩れた蔡英文総統に批判集中。民進党内は蔡更迭の動きもあったほどだ。

それが一年後、北京政府は台湾選挙に口を挟むことさえできず、いやそれどころの騒ぎではなくなっていた。コロナウイルス災禍で世界に孤立したからだ。習の周りは茶坊主とイエスマンだけなので正確な情報が上がっていなかったのだ。

同じ正月２日、台湾軍ヘリコプター「ブラックホーク」が烏来《ウーライ》山中に墜落し、制服組トップの沈一鳴《ちんいちめい》・参謀総長ら８人が死亡する事故が起きた。タイミングが悪いため、中国の謀略ではないかと言われた。なにしろ当時、台湾は総統と立法委員選挙の真っ只中、慰霊のため選挙戦は３日間の「休戦」となった。

この事件で想起したのは１９９８年に起きたパキスタンのハク大統領の「事故死」だった。アフガニスタン戦争でムジャヒディン側に立ってソ連と戦った参謀総長出身者ゆえに、ＫＧＢの暗殺説が流れた。

１９７９年12月25日のクリスマスにソ連軍はアフガンへ侵攻、カーター政権は無能だったため、翌年レーガンの大勝利に繋がった政治背景のひとつである。ソ連はムジャヒディンに根負けし、夥しい犠牲を出して撤退、これがソ連崩壊の遠因となった。当時『ＮＥＷＳＷＥＥＫ』の編集長だったアルノー・ド・ボルシェグラーブは、休暇先のリゾートから急遽《きゅうきょ》、本社に舞い戻って編集したと1984年頃に彼にワシントンでインタビューしたとき、筆者に語ったことがあった。

ハクはインド生まれの軍人、クーデターで政権を握り、ブット首相（父親）を死刑にした張本人でもあり（娘のブッドも爆弾をかかえた女性の自爆テロで殺された）、ソ連ばかりかハクを恨む勢力は国内にもごまんといた。

のちに軍事クーデターでシャリフ政権を倒した、あのムシャラフ軍事政権と共通のパキスタンの宿痾《しゅくあ》である。ハク大統領が搭乗したヘリは時限装置の睡眠薬か何かで、飛行中にパイロットが昏睡《こんすい》し、墜落したという説が有力、KGBの仕業とされた。真相は今も藪《やぶ》の中。台湾の参謀総長の事故死、パキスタンに比べると謀略説はまったく聞こえて来なかった。

さて台湾関連で、ここまでの激変の背景には「香港大乱」と「新型肺炎」が重なった。2019年6月まで台湾財界は中国への依存が過剰のため、国民党の「親中路線」を支持し蔡英文政権とは距離を置いていた。親中ムードが蔓延し、同年3月には鴻海精密工業の郭台銘が「台湾のトランプ」を名乗り総統選に出馬を表明した。

国民党も本命の朱立倫《しゅりつりん》（新北市長）を外し、おりからのポピュリズムに訴えて人気沸騰の韓国瑜《かんこくゆ》（高雄市長）に乗り換えた。候補の選定には呉敦義《ごとんぎ》・国民党主席へ北京からの指示があったと言われる。

韓国瑜に集まった異様なポピュリズムは中国のメディア演出が濃厚だった。台湾メディアは中国に操作されていたばかりか、ラジオもネットのチャットには中国製のフェイクニュースに溢《あふ》れ、民進党は手の打ちようがなかったほどだった。

トランプ政権の台湾擁護は本物だ

ところが同時に静かに浸透していたのはトランプ政権の中国制裁の効果だった。じわり台湾経済界を襲いサプライチェーンに大変化が現れ、結局、台湾企業は米国進出へ切り替え。対中ハイテク工場進出を取りやめる決断へと流れが変わりつつあった。最大の鴻海精密工業もＴＳＭＣも米国への工場移転を余儀なくされた。

同年6月 香港大乱の開始。情勢が百八十度激変の序幕となり、民進党は蔡英文で一本化し、頼清徳を副総統候補とすることで一致した。

風向きが変わっていることを台湾は実感し始める。

もとよりトランプ政権となってから米国の台湾アプローチは激変し、台湾旅行法制定、台北の事実上の米国大使館の要塞化と海兵隊の警備、そして２０１９年6月にペンタゴンが発表した「インド太平洋戦略報告書」のなかで、米国は台湾を国家として扱い始めているのである。「強化されたパートナーシップ」として、シンガポール、台湾、NZ、モンゴルを米国は〝信頼できる、有能な、米国の自然なパートナー〟と謳って、事実上の「国家承認」をしたのだ。

香港の民主化運動は警官の惨い弾圧に立ち向かい、中国は世界から批判されて孤立。台湾への同情が急拡大した。

香港政庁は「反送法」を撤回した。覆面禁止法は完全に逆効果となった。

香港の動きに台湾が連帯し、盛り上がり。国民党はようやくにして不利な情勢を掌握した。

ところが台湾における親中派と中間派が「民衆党」を結成するなど第三党の動きを見せ、政界は混沌《こんとん》を極めた。

11月、香港の名門4大学へ警官隊が突入し、暴力騒ぎは終息したものの逮捕者は8000名を超え、起訴された者が1100名。これから長い法廷闘争が始まる。

激変へと至る第一はトランプ政権の親台路線への転換に対しての名状し語り安堵《あんど》感で、台湾財界の対中姿勢が米国の政策変更で向きを変えたからだ。

第二に香港騒乱を脇に台湾への介入を諦《あきら》めた習近平の姿勢の変化である。

2020年1月11日、台湾総統は蔡英文が再任された。史上初の810万票という「勝利の美酒」に酔うのは一夜限り。結果を分析すれば、投票率が75％で若者の参加が目立ったのに、この新有権者は民進党ではなく新党へ流れたのだ。

何を言っているのか、よくわからないがニューモードの「台湾民衆党」（柯文哲《かぶんてつ》台北市長が率いる）がいきなりの5議席。この犠牲となって宋楚瑜《そうそゆ》の「親民党」は4・6％の得票があったにもかかわらず（5％ルールに従って）5議席からゼロへ。まさに壊党の危機に陥った。つまり新旧交代がはっきりと出た。新世代からすれば民進党も古い。

同時に民進党は立法委員選挙では7階席減、国民党は3議席増となり、支持率は国民党が6％増だった。具体的な数字を見ると、これでは「大勝利」とは言えないのである。

この事実は重要である。台湾の有権者は満腔の賛意を示したのではない。

それもこれも蔡英文への「消極的」な支持であることを証明しており、他方で国民党は「中国共産党の番犬」でしかないが、いまだに39％の台湾有権者が、この政党を支持しているという奇妙な乖離《かいり》をいかに説明できるのか。

潮流が逆流を始めた。

かつてもっとも大陸進出に熱心だった台湾プラスチックも大陸のビジネスに見切りをつけて、台湾回帰。また繊維産業など、宿命的に人件費の安い国へ流れる分野の製造業者は、ベトナム、タイなどへ進出している。

台湾経済は窮状から離脱しつつあり、GDP成長率は2・4%を恢復した。EUの速報（修正値、11月7日）も1・1%を報じている。

台湾が対米貿易に依存する体質に変わりはなく輸出総額は5860億ドルに達する。このため失業率は劇的に低下した。台湾から中国への輸出だけはマイナス6・7%を記録した。

台湾のGDPは世界のトップ20に入っており、ベルギー、スウェーデンとならぶ。

この景気の良さを当て込んでではないだろうが、香港から台湾への移住者が、香港大乱以来、1000名を超えている。審査時間が遅くなるほどの混みようで、明らかな潮流の逆流である。


蔡英文再任でも台湾政治が前途多難なことは指摘するまでもない。

当面、一国両制度をきっぱりと拒否し「現状維持」を継続しつつ、アメリカの支援を拡大し2024年に備えることになるだろう。

極言すれば蔡英文政権は次の独立を主張する政権への「繋ぎ」であり、2024年に頼清徳政権実現へ向けて、党内結束を強固な態勢とする必要に迫られる。

民進党支持者の多くが頼清徳を信任するのは彼が台湾独立を明確に志向しているからだ。アメリカで言えばペンス副大統領のように、安定を堅持しつつも、着実に実績を積み上げる。頼清徳にとって次期総統への道は険しいが、難関はむしろ党内の四つの派閥をうまくまとめる指導力が発揮できるのかどうかにかかっている。

世界を震撼《しんかん》させた香港大乱

香港における事実上の「中国領事」(中連弁事処主任)王志民《おうしみん》は19年6月以来の「香港大乱」の勃発と景気後退、治安悪化となって、香港統治はあまりにも不手際だったと難詰され、わずか2年3ヶ月の短期間で更迭された。

本来なら習近平の失策なのだが、犠牲の山羊とされたのである。王はマカオ弁事処主任を1年務め、香港へ移動した。香港の騒乱を処理できないのは能力不足、というより軽量級人事だからだ。

新任は駱恵寧《らくけいねい》(前山西省書記、全人代財経委副主任)、これは「サプライズ人事」だ。駱恵寧は香港でこそ無名だが、政治キャリアが高いうえ、処理能力が抜群という評価がある。彼は「誰もが想定しない意外な方程式で、ものごとを解決する」という評価がある。

駱恵寧は過去に一度だけ香港に視察団を率いて訪問した経験がある。石炭など資源リッチな山西省への香港からの投資を呼びかけるミッションで、林鄭月娥《りんていげつが》長官と面会したときも「香港に資源はないが、金脈がある」と発言した。ともかく駱恵寧は66歳と、すでに定年の65歳をオーバーしての任命。したがって中国共産党として大物をあてたという意味を持つ。

駱恵寧は山西省の汚職スキャンダルを治め、石炭など資源リッチの省だけに、経済活性化に努力した。ジョークも言わない、取っつきが悪いのは経済学博士だからと言われる。事情通は、「そうではなく、香港に人脈がないという新鮮さ、しがらみに捕らわれないで任務をこなせるから、安定化への統治を推進し、大いに香港のV字恢復と治安の安定化に寄与できるはず」と評価する。

駱恵寧は閑職だった全人代ポストから、もっとも注目されるポストに就くのだから世界のマスコミも注目する。特に香港、シンガポール、台湾の華字紙が騒いだ。

陝西《せんせい》省トップ人事も動いた。処分が1年以上も放置されていた趙正永《ちょうしょうえい》・前陝西省書記が「党籍剝奪《はくだつ》」処分になったのだ。現在の同省書記は胡和平《こわへい》。

前任は趙楽際《ちょうらくさい》（政治局常務委員、中央紀律委員会トップ。元陝西省書記）だった。趙楽際は今トップセブンのメンバーである。

この趙楽際が陝西省書記時代に、公立公園の敷地内に1000棟を超える別荘（1194

軒）を建てた。２０１９年1月から、しびれを切らした習近平が、取り壊しを命じ、ブルドーザー多数が投入されて別荘群を破壊し、公園は瓦礫《がれき》の山となっていた。

趙正永は中央からの取り壊し命令をながく放置していた。というのも前任者が規律委員会トップとなったからにはお目こぼしがあるとタカを括っていたからだ。習としては「反腐敗」キャンペーンの責任者でもある趙楽際を更迭するわけにはいかず、犠牲の山羊を探していた。したがって趙正永は、言ってみれば、前任者趙楽際の尻ぬぐいをしたことにもなる。

とはいえ、中国政治の特色は汚職である。これだけは中国４０００年の歴史の変わらない体質である。趙正永一族は陝西省の利権をほぼ私物化し、夫人、実弟などがあらゆる利権を漁り、収賄は常識、おまけに趙正永は、当該軍区の政治委員も兼ねていたので、やりたい放題の汚職を展開していたと言われる。

昔の上役だった趙楽際は習政権下でトップ・セブンのひとり。しかも王岐山の後を継いで汚職追放の責任者ではないか。彼が就任して以来、王岐山時代のような、目立つ汚職摘発はなく、この男、いったい仕事をしているのかと共産党内で批判が起こっていた。

ま、いつもの結論だが、中国では石川五右衛門と長谷川平蔵は同一人物である。

ルイ・ヴィトンも香港から逃げの態勢

多くの日本女性も誇らしげに持つハンドバッグ、財布はルイ・ヴィトン。その親会社LVMHは香港の旗艦店を畳むと発表した。

衝撃が香港のビジネス界を駆けた。繁華街の銅鑼《どら》湾にあるタイムズスクエア二階のルイ・ヴィトン店舗は目の前が民主派のデモの出発点でもあり、警官隊との激突現場として、世界的に有名となった。

裏道には言論弾圧で中国共産党にオーナー、社長、社員合計5名が拉致《らち》された銅鑼湾書店もあった。現在も看板はそのまま、店舗は閉鎖され、2020年1月にも筆者は足を運んだが入口は施錠されたままだった。

香港騒乱によってツアーが激減したが、有名ブランドは中国大陸からのツアー客が半分以下となったため、どの店も閑古鳥が鳴いて店員は手持ちぶさたで欠伸《あくび》をかみ殺し、デモが発生するとすぐにシャッターを下ろすというイタチごっこが続いてきた。

ルイ・ヴィトンは2020年に香港国際空港にも9店舗目の開業をアナウンスしたばかりだが、銅鑼湾の旗艦店を閉鎖するため、香港での店舗は七つになる。店員の一部は大陸の店舗に移動させると発表した矢先、今度は中国大陸での売り上げが激減した。

最初に香港撤退を宣言したのは昨秋、ハンドバッグの「プラダ」で、さらに売り上げが45％の落ち込みを見せて撤退するのではないかと言われるのがグッチとサルヴァトーレ・フェラガモである。

ブランド店舗が並ぶのは最高級ホテル「ペニンシュラ」のアーケードからマカオへ行くフェリー乗り場がある広東通りだが、このショッピング街周辺がデモ、抗議集会の場所となって買い物客が激減した。香港へ中国人ツアーに次いで買い物に熱狂していた日本人の観光客は香港から去った。ＪＡＬもＡＮＡも香港便を大幅に減便している。

そして混乱は年が明けても終息していなかった。大晦日から元旦にかけて久しぶりの火焔瓶、逮捕者４００名を超えた。

ＮＹのタイムズスクエアには１００万人が集まって新年のカウントダウンに臨んだ。日本も各地の神社仏閣で、新年を待ち望む参詣《さんけい》客が溢れた。

騒擾《そうじょう》状態が続いた香港でもさすがに暴力デモは沈静化したが、大晦日から元旦にかけて警官との衝突が繰り返された。

正月のカウントダウンの主会場は香港島のビクトリア公園、主催した民陣の発表では１０３万人が集まった。九龍側はフェリーのハーバーからペニンシュラホテル前。およそ10万人の人出があった。

対岸のネオンの隙間から散発的に上がった小規模な花火を望見しながらの平和的な集会は夕方までに終わり、参加者は家路を急いだ。しかし九龍側ではチムサーチョイからモンコック（旺角）にかけて武闘派が登場し、商店街のクリスマスの飾り付け装置を破壊してバリケード構築、警察も放水車で対応し、多数のガス弾を発射した。騒乱と流血の巷となった。香港島では午後7時頃からいずこからともなく武闘派が現れ、火焔瓶。特に香港上海銀行（ＨＳＢＣ）本店が標的となって、玄関が破壊された。スターバックスも営業を再開した途端にまた破壊され、ワンチャイから銅鑼湾にかけて騒乱状態に陥った。

元旦のデモで襲撃された香港上海銀行と、その子会社の恒生銀行のＡＴＭは依然として修復されておらず機能停止のままである。

香港上海銀行は、この香港を含めて全世界で3万5０００人の行員をレイオフする。

「香港大乱」の行方

ここで「香港大乱」の経過を大急ぎで振り返っておこう。

２０１９年6月4日、天安門事件30年にあたり中国への抗議集会は世界各地で開催された。香港でも数万人が集まり、中国の暴力的支配、全体主義政治に抗議した。

直後の6月9日、突如１００万人のデモが香港で展開され、以後、香港大乱が始まった。

学生、労働者、市民が連帯し、集会、抗議デモ。そして夜になると何処からともなく現れる武闘派が火焔瓶を投げ、警官隊と衝突を繰り返した。

まさに「最初はボヤだった。対応を間違えて大火になった。次は焦土だ」と筆者は比喩したことがあるけれど、香港は焦土のごとき、荒廃した都会に様変わりした。地下鉄が止まって、ライフラインが成立しない。山手線が止まったような事態だったのだ。高層ビルが林立し、資本主義の先端を驀進してきた香港が暴力の巷と化した。

２０１９年11月24日、日曜日。香港は静かな興奮に包まれていた。つい前日までの暴力的衝突は街から消え、催涙ガスもゴム弾も火焔瓶の嵐もなく、しかも香港は快晴。すっかり香港名物となったガスの匂いも火焔瓶の残り滓《かす》もない。香港の街に落ち着きが戻っていた。

この日行われた香港区議会議員選挙。早朝から投票所には長い列が出来たが、投票率が71・2％と史上空前の記録を更新した。およそ４１０万人有権者の内、２９４万人が投票所に足を運んだことになる。こんなことは過去になかった。

区議会議員選挙結果はどうだったか。香港のヤングパワーが「山を動かした」。民主派の圧勝となった。それも予測された以上の大勝利が民主陣営にもたらされ、中国をのぞく世界のメディアが祝福ムードの報道をした。

なかでも注目されたのが、親中派の大物、何君堯《かくんぎょう》（現職の立法委員）がまさかの落選。屯門地区は中国大陸系や、地元ヤクザの支配する地区であり、まさか。「こんなことありか」と選挙事務所は当惑した。何君堯が恨まれたのは7月21日の民主派襲撃（元朗駅）のヤクザの黒幕とされ、また民主の壁（レノンウォール）のビラを剝《は》がし、街を綺麗にしようという「清掃運動」の先頭にも立ってきた。このため選挙期間中、「お前はクズだ」と言われて反政府の男性からナイフで斬りつけられた。特に屯門周辺は古くからひらけた街だけに親中派が多い選挙区だが、今では高層マンションが建ち並んで通勤族が住む街に変貌している。新しい有権者は従来のしがらみにとらわれないのだ。

沙田地区では民主穏健派の「民陣」責任者が当選した。この人物はLGBT支持者でもあり、2回、親中派ギャングに襲撃されて負傷していた。同じく民陣女性闘士の黄文萱《こうぶんけん》も当選した。

日本でも知られる雨傘革命の指導者・黄之鋒《こうしほう》は立候補資格がないとして登録を拒否されたため、代理人を立てた。その代理人である林浩波《りんこうは》は早々と当選した。香港の区議選は予算立案権も立法権もないが、事実上の住民投票であり、無所属を含めると、80％以上の香港人が北京に対して「NO」を突きつけたことになる。

「一国二制度」への不信、警察の暴力的弾圧へのアレルギーなどが民主派の勝利というランドスライドをもたらした。北京はあまりの衝撃に結果を伝えない。情報はすべてプロパガンダでしかない中国メディアゆえに、そういう態度をとることは想定内である。

「香港で区議選が行われた。４５２人の定員、18の選挙区で、黒いテロリズムの下、選挙があった」とだけ伝えた。「西側のメディアが暴動を扇動した。香港警察は頑張った」というコメントが挿入されたものの、民主側の勝利という重要な結果を伝えなかった。

さて４５２名の新議員たちの色分けと言えば、

民主派　　３４７（76・８％）
親中派　　60（13・３％）
無所属　　40（８・８％）

この結果を受けて、トランプ大統領は11月27日、米議会上下両院を通過した「香港人権・民主主義法」に正式に署名、同法は成立した。

香港ではただちに民主諸派の歓迎集会が開催され、次は英国の類似法案可決を望むという声が聞かれた。

中国は猛烈に反発し、対抗措置を講じると大見得を切ったものの、米中貿易交渉の山場を迎えたタイミングで報復措置などと言っている場合ではなかった。

この「香港人権・民主主義法」の内容はと言えば香港の自治、人権状況が後退したと判断された場合、米国はこれまで認めてきた関税優遇やビザ発給に強い制限を加え、香港の自由や自治を冒した中国ならびに香港の政府の責任者を特定し、米国内にある資産凍結、米国への入国禁止などの制裁措置を取る。

「戦い済んで日が暮れて」。

荒土と化した香港理工大学は再建に6ヶ月が必要と発表された。大学を捜索の結果、火焔瓶3798本、爆発材料1339個、ガソリン缶が601、弓矢573本、弓機28、投石機が12機。これらの「武器」が、武闘派が完全に撤退後の香港理工大学から押収された。学生食堂も職員室も図書館も、学生ホールも破壊されていた。

復旧に半年はかかるだろうが、誰が補修予算を支払うのか。授業再開は早くとも2020年旧正月明けになると大学当局は見積もった。なかでも注目は香港理工大学の籠城戦は13日間にわたったが、1100名の逮捕者のうち、当該学生はわずか46名。あとは「外人部隊」だったのだ。しかも18歳以下の若者およそ300名は釈放されたが、ほかの参加者が他大学の学生なのか、一般市民なのか、それとも地元のヤクザや、得体の知れない暴動希望者、狼藉《ろうぜき》大好き人間なのかは識別されていない。

郵便はがき

料金受取人払郵便

牛込局承認

9410

差出有効期間
2021年10月31
日まで
切手はいりません

162-8790

東京都新宿区矢来町114番地
神楽坂高橋ビル5F

株式会社ビジネス社

愛読者係行

ご住所 〒 TEL:（ ） FAX:（ ）			
フリガナ お名前		年齢	性別 男・女
ご職業	メールアドレスまたはFAX メールまたはFAXによる新刊案内をご希望の方は、ご記入下さい。		
お買い上げ日・書店名 年 月 日	市区 町村		書店

ご購読ありがとうございました。今後の出版企画の参考に
致したいと存じますので、ぜひご意見をお聞かせください。

書籍名

お買い求めの動機

1　書店で見て　　2　新聞広告（紙名　　　　　　　　　　）
3　書評・新刊紹介（掲載紙名　　　　　　　　　　　　　）
4　知人・同僚のすすめ　　5　上司、先生のすすめ　　6　その他

本書の装幀（カバー），デザインなどに関するご感想

1　洒落ていた　　2　めだっていた　　3　タイトルがよい
4　まあまあ　　5　よくない　　6　その他（　　　　　　　　　　）

本書の定価についてご意見をお聞かせください

1　高い　　2　安い　　3　手ごろ　　4　その他（　　　　　　　　　）

本書についてご意見をお聞かせください

どんな出版をご希望ですか（著者、テーマなど）

長い裁判がまもなく始まることになり、クラウドファンディングによる資金集めが活動の中軸に移行するだろう。戦い済んで日が暮れたが、残ったのは夥しい「武器」の残骸だった。

大乱騒ぎの間に筆者は2回、香港を取材したが、年明けの1月にも、香港を見てきた。特に名門大学といわれた中文大学、香港大学、そして香港理工大学を取材した。

これから香港情勢がどうなるかを予測することは難しいが、次のことは言える。

第一に過激な暴力行為は減少するだろう。

武闘派が立て籠もった三つの大学への手入れによって、火焔瓶製造基地、保存ならびに兵站《へいたん》基地を失った。そのうえ主力メンバーの多くが逮捕されてしまい、戦力の維持が難しい。

第二に区議会で反北京という鮮明な民意が表明されたので、以後の過激な暴力行為は市民からの支持を得られないだろう。戦術の転換が迫られ、穏健派の「民陣」などと共同活動に踏み切るか、あるいは少数の行動をしばらく続けるか、いずれにしても過激派は分裂を余儀なくされるだろう。

第三に、衝撃を受けたのは香港政庁より北京の共産党政権だった。

いかに民衆から嫌われているか、鈍感な習近平とてあるいは気がついたかも知れない。

ソフト路線で、しばらく対応しつつ様子見に入る。しかも情報戦で北京が顔色を変えたのは中国スパイが機密情報を持って豪に亡命し、香港と台湾でも秘密工作を展開してきた事実がばれたことだ。

中国政府は「この偽亡命者はカネを持ち逃げした。彼の提供した情報なるものはすべてフェイクである」とプロパガンダを流しているが、ほとんど効果がなかった。

第四は香港大乱によって、台湾では蔡英文再選が有利な状況となり、「一国二制度を受け入れない」と蔡政権が公言しても北京の強い抗議もなくなった。国民党系のメディアが中国の財政支援、情報操作を受けていることが知れ渡り、台湾国民の多くは『自由時報』や『リンゴ日報』しか信用せず、挙げ句には外国メディアの分析に信頼を置いている。

香港の事態の推移を目撃した台湾民衆は、現状を維持しつつ、いずれは台湾独立という路線を支持している。

第五に日本ならびに欧米のメディアに見られるように民主派の勝利を大きく好意的に報じたことだった。これと同時に西側メディアは中国が非人道的な弾圧を続けるウイグル問題を大きく取り上げるようになり、関連してチベット、南モンゴル問題も、香港、台湾問題に結びつける論調や分析を見かけるようになった。

共産党が得意とした宣伝戦において中国は劣勢に陥った。

無言の弾圧が進行中

香港の繁華街は死んだようになった。インド人、アラブ人が蝟集《いしゅう》する重慶大楼も静かである。外国人らはまったくビジネスにならず、引き揚げも考えているとこぼす。

年明けになってもデモと集会は絶えず、一部武闘派は親中派商店、レストランを襲撃し破壊した。とくに集中して破壊されたのは親中派がオーナーのスタバだった。

じつに８０００名を超えた逮捕者、なかでも18歳以下の少年が目立ち警備当局は「少年たちは『西側の悪質な洗脳』にやられている」と「独自の見解」を発表した。

劣勢だった親中派は選挙の大敗北にしばし沈黙してきたが、12月２日に集会を開き、「暴力をやめろ」「愛国的になれ」として、五星紅旗を振って気勢を上げた。しかし参加者は数百人しかなかった。

人民解放軍兵士４００名が道路の清掃作業に駆り出された。イメージ向上作戦である。カーキ色の半そでシャツに黒の半ズボンといういでたちで、ごみを片付ける。瓦礫の山となった道路、トンネル、ハイウェイに散乱する投石用のブロック、鉄柵、火炎瓶の残骸など大量のごみを排除し、交通アクセスを回復して香港の人々のライフラインを確保する。台風被害のあとの災害救助である。しかし香港市民の多くは「単なるジェスチャー」「兵士のボランティアで政庁の要請はないと言っているが、見え透いた政治演出だ」と冷ややかな視線を投げ、「逆にこれは解放軍出動の前触れではないのか」と不安視する声が強かった。

香港大乱の影響は大陸に静かに及んだ。

広東省茂名化州市文楼鎮。香港から北へ100キロの農村である。村役場の役人は「パンダ公園」を建設し、観光客が来ると説明していた。いざ工事を始めると火葬場の建設だった。火葬は、田舎では特に忌み嫌われる。広東省は、今でも土葬の習慣がある。

村人らは「騙《だま》された。火葬場建設はやめろ」と抗議行動を起こし、11月28日には村人総出の抗議集会が開かれた。そこへ警察の特殊車両が登場し、集会に解散命令。従わないとガス弾を発射。警官ともみ合いとなり、村人らは棍棒。火焔瓶替わりに爆竹を投げ、警備車両をひっくり返す。

手製のプラカードには「光復茂名　時代革命」。あれっ？　香港の若者たちのスローガンは「光復香港　時代革命」だった。香港の影響がもろに出ている。

中国では香港の自由民主化運動のことはまったく伏せられ、「反米抗議行動が起きている」と情報操作されているはずだが、ちゃんと口コミなどで、田舎まで伝わっていたのだ。

暴動は収まらず、警官との衝突で多くの負傷者が出た。この模様は隠し撮りされネットで香港に流され、世界に伝播された。ＳＮＳネットワークが、草深い農村にも普及していた事実も新しい時代を意味するが、中国全土が監視カメラで動きが取れない状況も、こうした農村の末端にまでは張り巡らされていないようだ。結局、農民およそ１００名が逮捕された。

２０１９年9月20日、香港政庁の教育長（文科大臣に相当）、ケビン・ヤンこと楊潤雄《ようじゅんゆう》が記者会見し、「香港の民主化運動、『暴力的』抗議行動で学生が多く拘束された。これは教師の不適切な教育によって参加したのであり、煽動容疑で１２３名を取り調べ、うち80名を逮捕した」と発表した。

俄然《がぜん》、抗議声明を出して香港政庁の弾圧に対抗したのは香港教員組合である。香港は６３３と、日本の小・中が義務教育であるのに加えて、高校も義務教育であり学費は無料。したがって中高一貫校が多いのも義務教育で高校をカバーしているからだ。このため政庁の発言力が強いのは予算を握る以上、当然のことだろう。

政庁の言い分は、香港における６ヶ月にわたる騒擾で８０００余名が逮捕されているが、４割が学生だった。なかには中学生どころか小学生も混じった。高校生のなかには警官にピストルで狙撃《そげき》され重症を負った生徒も出た。

高校の校庭で、あるいは校門で集会が開かれ、街頭に出ての「人間の鎖」も独自に学校別に開催され、また教諭の抗議集会もあった。

楊潤雄・教育長によれば、「これらは誤った教育、あるいは教諭らの煽動演説に拠る結果なのであり、適切な判断のできない生徒らに不適切なことを吹き込んだ」とした。80人の逮捕組のうち4名が辞任に追い込まれたほか、学校当局に対して、逮捕された教員を譴《けん》責《せき》、懲戒処分、配置換えとするよう求めた。じわり、政庁側の制裁的締め付けが始まった。

2020年2月28日、香港警察は民主化最強の指導者ジミー・ライ（黎智英）を逮捕した。


1997年香港返還前に出生した人を対象に、英国はBNO（BRITISH NATIONAL OVERSEA）という旅券を与えている。

このBNOは、英国での居住、就労は認められておらず、単なるトラベル・ドキュメント、すなわちB級旅券だ。正式の市民としては扱われず、便宜的な旅行の利便性を付与しただけでは、340万香港市民が2級の二重国籍という複雑な仕組みを作っていただけなのである。

マカオはどうなるのか？

こういう状況下、マカオではモノレールが完成した。11駅を結ぶモノレールには12億ドルが投じられ、離れ島タイパのリゾート地から旧市内のカジノホテルとを結ぶ。1日2万人の乗客を見込むというが、香港と繋がった海中トンネルの交通も出入国管理が五月蠅《うるさ》く、それほどの客がない。

2019年12月20日、マカオではポルトガル領から中国へ返還されて20周年の式典が開催され、習近平がマカオを3日間訪問した。

「マカオ経済のカジノ依存体制を改め、将来は金融都市センターへの脱皮を図るべきであり、中国政府はその方向で支援する」と述べた。

この習発言はいささかの驚きをもって迎えられた。なぜなら中国共産党は香港を金融のハブとして重要視し、資金洗浄、海外送金、中国企業のIPO（株式新規公開）、ならびに社債の起債など、およそ60％の資金の流れを香港を活用してきたからだ。

マカオはあくまでも中国庶民の憩いの場所、リゾート、そして賭場《とば》であり、実際にマカオ経済はカジノと観光（リゾートを含む）の二大産業で、成り立ってきたのである。それが香港を牽制するかのようにマカオも金融センターにする？

習近平演説の基調にはマカオを「一帯一路」の起点として活用すること。そして「広東―マカオ―香港」という大湾区構想の発展に置かれていることは言を待たない。そのために巨費を投じた海底トンネルを繋ぎ、交通、運輸アクセスを格段に発展させた。

マカオ政府は長期的発展計画を欠落したまま、ひたすらカジノ・ビジネスと、併行した海外資本導入によるリゾート開発に力点を置いてきた。しかしながら2016年頃から長期計画にも着手し、カジノ依存体質の軽減、他方では国際会議の招致、文化的イベントの強化、家族連れ、長期滞在型のリゾートへの変質などを取り入れて、経済の活性化をはかろうとしてきた。

マカオは借金ゼロである。歳出より歳入の多い黒字体質を持つ、中国では珍しい地区である。歳入の80％がカジノだ。マカオ経済は過去20年で9倍の規模拡大があり、一人当たりのGDPは香港を超えた。

金融センターへの大構想は銀行セクターを鼓舞する。マカオに進出した大手は中国銀行、12のローカル銀行に加え、大陸系大手銀行など18の支点が店開きをしている。実際の規制緩和第一号はマカオから中国本土への送金額を5万元から8万元へ引き上げた措置にも象徴される。

しかしながら習近平の「マカオの金融センターへの脱皮」は、たいそう困難だろう。

香港は曲がりなりにも英国の植民地化にあって貿易のハブ、金融の国際化には130年の歴史があり、金融ノウハウの蓄積がある。マカオの蓄積は博打場だけ、その中心はリスボアホテルのスタンレー・ホー一族である。

大法螺《おおぼら》の号令が鳴り響いて、マカオ政府は多角化に乗り出すと宣言したが、前途多難。だが、ハイテクの新都市＝雄安市建設が、習近平の大号令一下、大々的な建設プロジェクトが推進されているように、瓢簞《ひょうたん》から駒という可能性は1万分の1ほどの確率があるかも知れない。


ところがコロナウイルス災禍によって、不夜城だったマカオの火も消えた。カジノホテルが営業を停止したため、中国大陸からの博徒が寄りつかず、いきなりGDPマイナスの展望となった。かつて澳門のカジノといえば、香港から船で1時間。圧倒的に香港から、同時に香港滞在の外国人観光客が賭場に駆けつけ、大金をかけた。地下のVIPルームの常連には金正男《キムジョンナム》もいた。マカオの銀行は北朝鮮の資金洗浄に使われていた。日本でも製紙会社の2代目が数億円をすった事件があった。

中国から博徒が押し寄せるようになったのは2000年頃からで、24時間営業のカジノホテルが40軒以上、多くがフェリー乗り場、国門、飛行場とをピストン輸送する無料バスを走らせている。ほとんどが中国大陸からの博徒、その数、年間2800万人。

改革開放とともにラスベガスの本家からマカオへの進出が続き、世界のカジノ御三家はウィン、サンズ、そしてMGM。世界最大級のカジノはベネチアン。すべて勢揃い、タイパ島は総合レジャーランドに変身し、マカオの歳入は歳出を上回り、一人当たりのGDPは8万2000ドル（ちなみに日本は3・9万ドル。香港は5・2万ドル）。

もともとマカオの老舗はスタンレー・ホー一族のリスボアホテル。いずれもコロナウイルスの猛威が確認され、国門を閉めたため閑古鳥が鳴いた。2月18日に再開したが、客はほとんどいない。

「ウィン・リゾーツ」は2019年第4四半期決算発表で、世界一の営業成績を誇ったマカオのカジノ閉鎖により1日平均で260万ドルの赤字とした。

ウィンはマカオのタイパ島のど真ん中、ゴンドラのようなケーブルカーでホテルに入るが前面が人工湖である。この壮大な景観と規模にまず度肝を抜かれる。ホテルの目の前が新規開業のモノレール駅、はす向かいがMGMホテルである。カジノにとって旧正月は1年で一番の稼ぎ時、それが全面閉鎖となったわけだから2020年の収益は望み薄、全世界で3万余の従業員のうち、マカオだけで1万2000人のスタッフがいる。

経営陣は「危機は必ず乗り切る」と習近平と同じ台詞を吐いているが、ウィン・リゾーツの株価は年初来、すでに10％以上の下落を示している。

ＩＲ導入を決めた日本、サンズもウィンも日本に事務所を開設して準備に余念がないようだが、このマカオの教訓を生かせるのか。

日本を「仮装敵国」にする韓国には未来がない

韓国に関しては、救いがないと突き放すしかないだろう。

中国依存度があまりにも過剰だから、悪影響も度合いも深刻である。語られすぎた観もあるが、韓国人の深い病理は、何が何でも日本を貶《おとし》めるという、世界でも珍しい奇病を発生させる。「スポーツ競技でもフェアプレー精神はない。どんな汚い手を使っても勝てばよい」というのが韓国人だ。

日本の左翼メディアのメンタリティは病的、偏執的であり、事実を正面からは見ないという特質を持つ。だからか、嘘ばかりの韓流ドラマがまだ廃れない。

韓国人がすぐにカッとなる特徴を一時は「火病」と呼んだ。ネット上では今も火病だが、近年の病名は「憤怒調節障害」という。なにしろ怒り出すと、自己調整機能がないため墓を暴き、クソをかける。人糞を人に投げつける。不衛生極まりない人々が、とてつもなく汚染された食品を売りつける。障害児を里親制度を悪用して外国に輸出するというえげつない「赤ちゃん輸出大国」の側面を持つ。つまり人格障害である。

室谷克実『反日種族の常識』（飛鳥新社）によると、諸外国と比べて、この精神衛生上の問題点が指摘されており、韓国の大学で専門家がチームを組んで研究した。

その結果によれば、「一種類以上の人格障害があると疑われた人が71・2％に達した（中略）。自分にこだわりすぎて対人関係が円満でない『強迫性』（49・4％）、合理的な問題解決や人との関わり方を避ける『回避性』（34・7％）、わがままで些細なことも必要以上に反応し気まぐれな『ヒステリー性』（25・6％）、絶えず他人を疑う『偏執性』（22・6％）の順で多かった」という。

自己正当化、自己をなぜか優秀な民族と錯覚する性癖があり、しかも見栄っ張りである。大型の液晶テレビが流行と聞けば、中身はがらんどうでも応接間に飾り立てる。箱だけの文学全集が飾られているのもインテリアの一種でしかなく、この延長にあるのが国防の装備である。

最新鋭の上陸強襲艦やら潜水艦をやたら揃えても練度が伴わず死亡事故が頻発するのは中国軍と同じだが、部品まで外国製だから修理に1年以上かかる。艦船は員数があっても、実際には機能しない。

しかも軍艦には「安重根《アンジュングン》」「尹奉吉《ユンポンギル》」とテロリストの名前を冠するのである。

米軍の艦船は歴代大統領か、戦争の英雄である。まさかJFK暗殺者とされた「オズワルド」とか、リンカーン暗殺犯人「ジョン・ブース」とかの名前を冠しないだろう。日本は景色の名称をあてるが、いずれ「ヤマトタケル」「ワカタケル」「ミヤモトムサシ」とかにしたらどうかと思うが、この議論は措く。

そのうえ驚くべきは、韓国軍兵士の2割が「リスク」を抱えているため、国防を十全に果たす能力に欠いているという実態がある。米軍はもはや韓国軍の質を信頼していない。しかも韓国軍の仮想敵は北朝鮮ではなく明らかに日本である。

この国を真面目に扱うのは徒労というより、もはや愚行と言って良いだろう。

日本は大丈夫なのか?

香港大乱、ついでコロナウイルス災禍は日本にも深刻な影響を与えた。

世論が変化し、中国人の移民が日本を破壊し始めている現実を直視せよ、いずれ中国の一部として「倭国共和国」に転落する明日の地獄が透視できると懸念する人が増えたのだ。

北海道はどう見ても、「中国の植民地化」しつつある。釧路、苫小牧、札幌へ飛ぶと、アッと驚く惨状が目の前にある。札幌の歓楽街「すすきの」はすでに中国人ヤクザが支配している。しかも、こうした静かなる中国の侵略を「投資歓迎」と受け入れているのが北海道庁と北海道の財界だから日本政府と日本人自身の無策ぶりが今日の体たらくをもたらした元凶ということである。コロナウイルス感染者がなぜ北海道に集中したか、それも中国人移民の多い場所に！

歴史教育の自虐史観を今も墨守している日本人が多いから無理もないか。「昨日のチベット、南モンゴル、こんにちの新疆ウイグル自治区の悲劇は、明日の香港、台湾、そして日本」となるのではないか。

川口、池袋、千葉などの一部の街区はすでに異臭を放つ「チャイナタウン」となっており、北京語が飛び交っている。筆者もたびたびこの怖るべき現実をレポートしてきたが、政府はなんの対策も講じなかった。処方箋もない。

なぜ中国人留学生に返済無用の奨学金が供与され、日本の苦学生には高い授業料を課すのか。日本の保険制度を悪用して高額医療を抜け目なく享受しているのは誰か？

中国に静かに侵略されているのに、日本の官僚どもは労働力不足だから移民を増やすと言い、独裁皇帝の習近平を国賓として迎えるという。まさに狂気の沙汰である。

日本の制度を悪用した医療保険詐欺、なりすまし治療など、日本のお人好しシステムをギャアギャアと脇目もふらずに、中国人はメリットをふんだくるのだ。

その悪質さは、むろん「自分のモノは自分のモノ、他人のモノも自分のモノ」を信条として、利用できるモノは何でも徹底的に活用し、相手が破産しようが自殺しようが、困らせても蛙の面にナントカだ。なんたって、中国人の価値観では「騙されるほうが悪い」のである。

それが中国人の体質に染みこんだＤＮＡであり、知的財産権を盗むことなど、悪いこととは思ってもいない。怪しげなチンポ的(進歩的)文化人やらリベラルなメディアの説く「多文化共生」とは「他文化強制」のことである。

多元的価値観を尊重し、人種偏見も差別もない社会などと莫迦のひとつ覚えの念仏を唱えていたら、中国の武力を使わない静かなる侵略はほぼ完成期に入っていたのだ。

いずれ日本は中国倭国共和国となって地図から消える。２７０万外国人のうち、80万人が中国人である。すぐに８００万人になり、北海道は乗っ取られるだろう。

そうした危機感に警鐘を乱打する論客が最近ようやく増えてきたものの大手メディアの社説を読むと「労働力不足だから仕方がない、移民枠をもっと、しかも急いで増やすべきだ」などと本末転倒の議論をしている。

議論するべきは、日本人の子供をいかに増やすかという政策論争ではないのか。目の前にある危機、それは日本の存亡の危機、未曽有の危機である。

第3章

世界で中国の地盤沈下が起きた

悠久の自然、歌にも詠まれた武漢の悲劇

武漢発新型肺炎、コロナウイルスの災禍は、市内の華南海鮮市場から伝染し、コウモリが原因と言われた。元凶といわれた動物市場は閉鎖された。中国科学院武漢病毒研究所が、15・8キロのところにあるため生物化学兵器説も渦巻いたが、この執筆時点（2020年3月2日）に至っても、なんら物的証拠は示されていない。

武漢というのは武昌、漢江、漢陽という三つの町や村が合併して、それぞれの都市名をとって新名が決まった。だから戦前は「武漢三鎮」と言った。終戦後、武漢から引き揚げる日本兵は1年から1年半ほど、この地で引き揚げ船を待った。当時、渉外係をしていた石原萠記《いしはらほうき》氏（元『自由』主幹）によれば、備蓄食糧を盗まれないため交替で番兵をしたのが鮮明な記憶だと言っていた。その石原氏も5年ほど前に亡くなり、戦前の武漢を知る日本人は誰もいなくなった。

揚子江の交差点として昔から栄え、川舟が行き来し、商業の要衝となって発展したが、これという観光地はない。強いて言えば「黄鶴楼《こうかくろう》」だが、いくたびの戦火で焼失し、現在、場所を移して建築されたものは、昔の黄鶴楼とは似ても似つかない5層の建物である。現在、中国で一番高いタバコのひとつが、この黄鶴楼ブランドで1箱が4000円ほどどする。

「黄鶴楼」の歌は唐の詩人、崔顥《さいこう》が詠んだ。

昔人已乗黄鶴去　（昔人已《すで》に黄鶴に乗りて去り）
此地空餘黄鶴樓　（此の地空しく余す黄鶴楼）
黄鶴一去不復返　（黄鶴一たび去って復《ま》た返らず）
白雲千載空悠悠　（白雲千載空しく悠悠）
晴川歴歴漢陽樹　（晴川歴歴たり漢陽の樹）
芳草萋萋鸚鵡洲　（芳草萋萋《せいせい》たり鸚鵡洲《おうむしゅう》）
日暮郷關何處是　（日暮《じつぼ》郷関何の所か是《ぜ》なる）
煙波江上使人愁　（煙波《えんぱ》江上《こうじょう》人をして愁えしむ）

筆者は何回か武漢に行っているが、行くたびに新しい橋梁、川底トンネル、そして地下鉄に新幹線駅。空港もできて長距離バスが行き来し、人口が１０００万を超える大都会となった。

まだガイドブックに武漢の地図がない頃、どうせ空き部屋があるだろうとタカを括ってシャングリラホテルに行くと「満室」という。食堂で夕食を取っていると受付の女性がやってきて、「近くのホテルに1室空きがあるので、そちらへ行ったらどうですか」という。スーツケースをがらごろ引いて500メートルほど歩き、夜中にチェックインした。翌朝、付近の景色を見て驚いた。ホテルの周囲は臭気漂う貧民窟で、近代的なホテルの周りは掘っ立て小屋のような貧困風景があった。中国はなにしろ貧民窟のど真ん中に立派なホテルを建てても平気なのである。それほど武漢は殺伐としており、民度が荒い。

武漢から拡がったコロナウイルス災禍によって、中国が基軸だったサプライチェーンがぶっきれ、アジア経済は一斉に沈没寸前となった。フィリピンではバナナ、タイではドリアンが、ベトナムでは果物類が港に山積み、いずれ朽ち果てる。

コロナウイルス災禍以後、注目したのはウォール街の株価急騰、その後の急落であり、次にビットコインの激しい高騰ぶりである。

2019年12月31日、武漢でコロナウイルスが確認された日、ビットコインは7251ドル30セントだった。2020年1月30日、WHOが非常事態を宣言した日に、ビットコインは1万ドルを突破した。過去にも、2017年に一度、ビットコインは2万0089ドルまで急騰したことがある。

資産確保を狙って、中国人が買っているかどうかは不明だが、特にインドでの取引が急増しているという。

金価格も不気味な上昇を続けており、1オンス1600ドル台を突破している。日本の貴金属販売店には朝から長い列が出来ているが、マスコミ種にはならないようである。

他方、原油価格は急落、原因は中国のガソリン消費激減、新車販売20%減、市況は悪化している。原油価格は25%下落、また商品市況も芳しくないが、中国の購買力が急速に減退しているからである。

プロローグでも見たように、世界的な有名ブランドの中国の売り上げは半減に近い。

「中国本土に約250店舗を展開する米ファッション・ブランド持ち株会社のカプリ・ホールディングスは150店舗近くを閉鎖。ラルフローレンは115店舗のおよそ半数で営業を見合わせている。アディダスは1万2000ほどある店舗の相当数を一時閉鎖する方針だ」(「フォーブス」電子版、2月16日)

欧米の高級ブランドは、じつに売上高の14%を中国市場に依存している。特にルイ・ヴィトンなどのLVMHとティファニーが17%、コーチなどのタペストリー、カナダグースが10%、前掲のカプリ・ホールディングスの中国依存度は6%である。

中国人民銀行は市中に出回っている紙幣を、銀行に回収すると、すぐに新札に取り替えている。紙幣への病原菌付着を怖れているからといわれているが、スマホ決済が普及している中国でも、農村部、地方都市では、薄汚れた紙幣が流通しているからだ。

かくして市場では奇妙な投機が続くが、これこそは正常な反応なのかも知れない。

マフィアは暗躍のチャンスと捉えた

この未曽有の危機の陰で、中国マフィアがまたアジア全域に負の影響力を拡げている。伝染病もなんのその、マフィアは元気なのである。

中国人のオレオレ詐欺集団がアジア諸国で暗躍し、アセアンの国々で連続的に摘発されている。

インドネシアで85名の中国人が逮捕された。スマホの普及でギャンブルの博打場が携帯電話の空間へ移行したからだ。

2019年12月9日、インドネシア警察は中国の「電話詐欺」集団を手入れした。日本同様のオレオレ詐欺も含まれるが、中国の犯罪の特徴は、現金騙しばかりか、公務員や裁判所、公証人、警察などを名乗り、情報を聞き出し、そのデータを売る手口や、事故をでっち上げて示談金をせしめたり、企業機密をネットから盗み出してライバル企業へ売るなど、高度な手口が特徴的である。悪さにかけて天才的才能を発揮する輩が多い。

これらの犯罪は中国語では「電話詐騙」と言い、オレオレ詐欺などのレベルではない。被害額は2017年に35億元（邦貨換算600億円弱）だった。

2017年に福建省を舞台にした大規模なオレオレ詐欺集団を一斉に手入れし、台湾国籍を含む419名を逮捕した事件があった。

外国に詐欺の拠点は移動している。

カンボジアのシアヌークビルを拠点の中国人電話詐欺グループも摘発された。シアヌークビルには中国人経営のカジノホテルが50軒も林立し、四川省や重慶からマフィアが這入り込んで無法状態に近く、2018年だけでも200名を超える中国人が逮捕されている。中国マフィアと組んで日本人がからむ電話詐欺も頻発している。2017年に福建省で75名が逮捕されたと報道されたことがあるが、19年3月にはタイのリゾート地パタヤを拠点とした日本人グループ15名が逮捕された。フィリピンの首都圏にあるマカティは中国人の進出が凄まじいが、ここでも日本人が36人逮捕された事件が起きたことは記憶に新しい。

オレオレ詐欺の国際化である。

フィリピンにおける中国ヤクザの浸透（これも「浸透作戦」？）は凄まじいことになっている。就中、マカティではギャンブルに負けて、借金が払えるまで拉致される事件が相次いでいるのだ。

賭場に売春婦が屯しているのも、世界の常識に近いが（アムステルダムの飾り窓にも中国人がいるうえ、あの一帯は今やチャイナタウンである）、中国のシンジケートのやり方は新手だった。

朝の通勤電車、一昔前は8割の人々が文庫か、日経新聞を読んでいた。今はスマホ、それも新聞記事を読んでいるのは珍しく、大半が漫画か、ゲームである。そのスマホにおけるゲームも複雑多岐で、画面も繊細、ゲームルールも高度化している。若者は、そのハイテク化にすぐになじむようだ。

今アジア各地にはびこるオフショア・ギャンブルの実態が、このゲーム感覚の麻痺である。仮想空間でゲームに負けても、中国ヤクザのシンジケートは追いかけてくるのだ。借金が支払えず、もし若い女性なら、売春組織に売られる。ヤクザが賭場と組んでいるケースが多い。

マニラ首都圏マカティは数年前からカジノが認められ、今40万の中国人に溢れる。したがって凶悪犯罪が横行し、ヤクザのシンジケートが社会の隅々に浸透し、借金返済替わりに、若者らがゲームで客を釣るアルバイトを強要され、フィリピン国家警察が拘束した中国人売春婦だけでも数百の単位に登った。日本もＩＲが本格化すれば、いずれそうなる危険性が高い。

一方でドゥテルテ比大統領は親中路線を突っ走りつつ、スカボロー岩礁問題を棚上げし、中国海軍と比海軍とは合同演習を繰り広げた挙げ句、２０２０年2月12日に米比地位協定を破棄した。米国の怒りは、いずれ何かのかたちの制裁となるだろう。

ネパールでも122名の中国人ネット犯罪者を一斉検挙した。

ネパールの首都はカトマンズ、昨今は中国人が闊歩《かっぽ》し、日本食レストランや居酒屋も日本人は見かけない。大声で騒いでいるのは中国人である。

カトマンズは地震に襲われて一時、中国人ツアーは姿を消していたが、またもや舞い戻っていた。中国の幾つかの都市と直行便で結ばれ、店舗の看板も中国語表記が増えた。

2019年12月23日、カトマンズ警察が中国人のハッカー犯罪組織のアジトなどを一斉に捜索し、122名を逮捕した。彼らはVISAカードの偽造や盗んだ個人データを売りさばいていた。

国を挙げてのハッカー犯罪

一方、米国ではハッカー「ゴールドサン」(黄金の太陽)という暗号名で知られた中国人(本名ユピンアン、音訳=愈平安)が2017年8月にロサンゼルス国際空港で逮捕された。1年8ヶ月、サンディエゴ連邦拘置所に収容され、2019年2月に釈放された。

この人物のハッキングで被害を受けた企業はクアルコム、航空・防衛企業のパシフィック・サイエンティフィック・エナジェティック・マテリアルズ社やライアットゲームズがある。彼はマルウェアのブローカーで、コンピュータを遠隔操作できるマルウェア

「ＳＡＫＵＬＡ」をハッカーに提供していた容疑を認めた。ＳＡＫＵＬＡは数千万人の個人情報が漏えいした米健康保険大手アンセムへのハッキング、連邦人事管理局（ＯＰＭ）へのハッキングで悪用された。

中国人民解放軍ならびに国家安全部が欧米企業のハイテク技術を盗むため、共同でサイバー攻撃を行っていた。中国外交部（外務省）は「関知していない」としらを切り、「われわれはいかなるサイバー攻撃にも断固として反対する」とすっとぼけたが、誰か信用する人、いるの？

日本もカジノを許可したが、いずれ中国人犯罪者の温床になることは確実だろう。

ＩＲを巡って政界が揺れているが、日本が近未来に襲われるであろう悲劇、惨禍とは、中国人犯罪者の急増と凶悪集団の温床となり、殺人、誘拐が多発するだろうという悪い予感だ。

フィリピン・オフショア・ギャンブル・オペレーションの頭文字をとって「ＰＯＧＯ」という。カジノホテル、賭場は公式認定を受けたものが79ヶ所。不法な賭場が２００以上あり、公式統計によるＰＯＧＯの従業員は９万３６９５名（ちなみにフィリピン政府が把握する在比中国人は政府発表で、４万４７９８名。労働省の把握している人数は７万１５３２名（数字はいずれも『サウスチャイナ・モーニングポスト』、19年12月27日）。

ところが別の統計ではマカティだけで、不法滞在の中国人は少なくとも40万人、最悪で80万人と推定されている。この推計は、フィリピン入管がアライバル・ビザで入国した中国人から割り出した人数とされる。

フィリピンばかりではない。前述のようにカンボジアのシアヌークビルは、カジノホテル50軒。不法滞在の中国人が30万人と推定され、完全にチャイナシティと化した。国の中に外国があるのだ。

日本政府はＩＲを許可し、その利権を巡って中国企業が日本の与党代議士を籠絡《ろうらく》し、賄賂を渡していた。すでに近未来の犯罪の前景が見えるようだ。フィリピンやカンボジアや、そのほかのオフショアカジノを認めた国々での悲惨な現実を、日本は明日の教訓としなければならないのではないのか。

マレーシアのセランゴール州プチョン市は人口40万人の学園都市。単科大学が四つ、華《か》僑《きょう》経営の高校もあって中国系住民が多い、静かな街である。クアラルンプールの南郊外。バスで40分ほど。

２０２０年元旦。この街の住宅を根城にコンピュータシステムを悪用して不正賭博などを展開し、荒稼ぎをしていた中国人シンジケートが手入れされ、87名を逮捕した。家宅捜索で6台のデスクトップ、33台のラップトップ・コンピュータと、203台の携帯電話機を押収した。

こうした不正なSNS利用の中国人犯罪シンジケートは、ネットワークを悪用した詐欺集団といわれ、マレーシアにも無数存在する。

これまでは商業ビルに会社を装ってレンタルで陣取ったスタイルが多かった。警察や入管の監査が厳しくなり、本拠を住宅地に移転するようになった。パターンはアジア全域に拡がる詐欺集団のやり方と似ている。

タイで、フィリピンで、インドネシアで、カンボジアで、そしてマレーシアで大量な中国人容疑者が拘束されているが、なかには中国人集団のパシリをやらされていた日本人も含まれている。

2019年12月11日、マレーシア南西部のイポで、オンライン詐欺、スキャンを組織的に行っていた中国人40名を逮捕した。同時に31台のパソコンと、80台の携帯電話を押収した。

12月13日にもマレーシアの空港で680名が、その直前にも373名が、不正ビザによる入国容疑で拘束された。この事件ではマレーシアの入管の甘さが、浮き彫りになった。イスラム過激派のテロリスト侵入を防ぐ目的で強化されてきた入管が、テロリストより、不法な中国人シンジケートでも効果を挙げることとなった。

日本はどうか。入管の甘さはかつて金正男一家の偽造パスポート入国を見抜けず、今度はカルロス・ゴーンの関空からプライベートジェット機による脱出も防げなかった。ゴーンはレバノンに逃げたが、隠れ家が予め用意されていたという（ゴーンはフランス国籍のパスポート所有。ブラジル国籍だが、人種的にレバノン人である）。

国有企業で沈みゆくベトナム

米軍を撤退させ、とうとうベトナム戦争でベトコン側が勝利したのは40年以上も昔の話だ。ある軍事評論家は「これで大東亜戦争は終わった」と言った。

あのとき、空軍パイロットとして参戦し、撃墜されて捕虜となったジョン・マケインは、その後、釈放され米国に帰還し、連邦議会の上院議員（アリゾナ州選出）となった。そのマケイン議員が団長となった米国議員団がベトナムを訪問し、米越関係を飛躍させる原動力となった。マケインは反トランプの急先鋒《きゅうせんぽう》でもあったが、19年に急逝した。

同じくベトナム戦争に参戦したジョン・ケリーは、ヒラリーの後釜として国務長官となり、ベトナムとの友好、経済関係を深める。かくして悲劇は喜劇となった。革命後、ベトナム共産党は華僑を弾圧し、そのためボート・ピープルとして100万以上の華僑が海外へ逃げた。海の藻屑《もくず》と消えた華僑もいれば、チョロン地区（サイゴンのチャイナタウン）で虐殺された華僑も夥しい数にのぼる（ベトナム現代史はこの時期の出来事が白紙である）。その報復が鄧小平が主導した中越戦争だった。

消えたはずの華僑が静かにベトナムに戻っていた。

それも新華僑の大群、つまり中国企業が大挙してベトナムの工業団地に進出し、生産、輸出基地とし始めたのが10年前。途中、反中暴動が起きて一時期撤退したが、いつの間にか舞い戻り、ベトナムを輸出中継基地として、あるいは対米輸出の中国製品のラベル張り替え拠点として、良いように利用されていた。

1972年冬、ベトナム戦争末期だが、筆者は従軍記者然としてサイゴン（今のホーチミン）に取材に入り、河岸のマジェスティック・ホテルに滞在した。周りは人力車、靴磨きの少年、傷痍《しょうい》軍人。アメリカ兵相手の怪しげなバア、掏摸《すり》や為替詐欺が横行していた。カフェには新聞記者が屯していた。

2015年頃だった。筆者は同じホテルに高山正之、藤岡信勝氏らと泊まったが、五つ星ホテルに変身しており、屋上にプール、バアがあって日曜日には驚くべし、ベトナム庶民の家族連れで溢れかえっていた。

2019年のベトナムGDPの伸びは7％、2020年は6・6％から6・8％が見込まれている。またベトナムはASEANの議長国としてホスト役を務めるばかりか、国連安保理事会の非常任理事国のメンバーとなって、国際政治にも発言権を持つ。そのうえ、EUとはFTAが発効している。

明るい未来予測が多くのシンクタンクから飛び出した。ベトナムの一人当たりのGDPは2035年に2万2000ドルになるという。2019年に1200億ドルだったベトナムのデジタル産業は2035年には430億ドルに成長すると、薔薇《ばら》色の近未来シナリオが提示されて、ほくほく顔のはずである。

しかしベトナムも暗転が始まった。イカロスの翼が失速した中国のように、坂道を転がり出したら早い。

第一の原因はベトナム国有企業（SOE）の多くの民営化が大失敗となりつつあることである。

発電、送電、通信など国有企業民営化に際して、共産党幹部でもある企業経営陣は、財産を過小評価し、差額をポケットに入れ、さらにはIPO（株式新規公開）によって、濡《ぬ》れ手に粟の現金を手にする。全体主義国家に共通の汚職である。ところがベトナム企業のIPOはうまく行かず資金調達が挫折した。

それは中国企業がNY市場に上場し空前の金を集めた真似をして巨額をなそうとしたのだが、アリババはブームに乗ってアメリカ人投資家が群がったのであり、ベトナムの国有企業の同様な夢を描いたが、ベトナム国有企業にカネをぶち込もうという世界の投資家はいなかった。

第二は発展途上国にありがちな中産階級の罠による景気の挫折現象が露呈した。例えばインドでオートバイや車の割賦販売の結果、不渡りを出す個人破産がインド経済を停滞させているように、あるいは中国でマンション購入の中産階級が値下がりに遭遇して、所得激減のあおりで返済が不可能となったため、事実上個人破産しているように、同じ現象がベトナムで起こった。破産が常態化しているのである。

第三が対米輸出のトリックだ。

中国の対米輸出企業が、原産地をベトナムとすれば、対中報復関税を逃れられるとばかり、ハノイなどでラベルの張り替えが行われていた。その実態を米国は偵察衛星などで摑《つか》んだ。米国議会が「香港民主人権法」を成立させ、トランプが署名したように、香港の貿易、金融上の特権を剝奪する法律である。

ベトナムからの輸入物資にも、トランプ政権は高関税適用の方針である。

カザフスタンの首都を蔽《おお》う中国の影

中央アジアのカザフスタンは中国の西隣である。

宏大な自然に恵まれて、天山山脈の地下水が豊かなため砂漠のオアシスと言われた。最大都市アルマトイの街を歩くと、ロシア人と同じぐらい、中国人が目立つ。

世界最大の内陸国家（日本の7倍の面積）であるカザフスタンをおよそ30年統治しているのはヌルスルタン・ナザルバエフ前大統領。昨秋の「即位の礼」にも政界引退後にも「国の顔」として訪日した。

新大統領のトカエフは副首相時代を含めて2回来日しているが、まだ国際的には認知されていない。相変わらずナザルバエフ前大統領が活躍している。大統領ポストを降りても、事実上のカザフスタンの顔なのである。このナザルバエフを国民は「ナザル・カーン」と俗称してきた。

ナザルバエフは旧ソ連時代の共産党書記。ソ連が崩壊するやまっさきに独立し、レーニン像をすぐに撤去させた。円滑に独裁の政治を確立できたのも、豊富な石油、ガス、稀少金属に恵まれるからだ。日本が重視するのも、カザフスタンのウランとレアアースである。

ナザルバエフは突如、アルマトイからアスタナへ首都を移転した（1997年）。

黒川紀章が設計したオアシス都市建設に邁進した。筆者はそれまで首都だったアルマトイには2回行っているが、緑の美しい都市で、砂漠のオアシスの典型。鉄道もモスクワと繋がっており、英語の新聞があった。「♪月の砂漠をはるばると」のシルクロードの浪漫が浮かんでくるような街作りだった。

ナザルバエフは穏健な方法での権力委譲を模索してきた。副官として忠実に彼に仕えたトカエフに大統領ポストを継がせ、政治の裏に徹して国民の不満を和らげる。しかし依然としてこの国を統治しているのはナザルバエフ一族であり、資源輸出利権を掌握していると言われる。

2019年3月、新都市アスタナを「ヌルスルタン」と改称した。ヌルスルタンは、ナザルバエフの本名。しかも議会は圧倒的な賛成で、承認した。

カザフスタンの人口は1860万人。国土が日本の7倍。人口は日本の7分の1強。なぜこの国に国際的焦点が当たっているのか。旧ソ連の枢要な地位をしめてきたカザフスタンは、深く静かに中国の浸透ぶりが見られ、それがプーチンの神経に障っている。カザフスタンの人口の15%はロシア人である。旧宗主国ソ連の中核＝ロシアの顔色を見ながら、中国は最初にカザフスタンと鉄道を繋ぎ、中国企業がそろりそろりと進出していたのが2000年頃までの図である。

中国進出のラッシュアワーがやってきた。

鉱山開発、インフラ建設、石油基地など建設分野に中国企業はどっと、うなるように進出し、おまけに中国人労働者を大量に連れてきたため、どの国でもそうだが、必ずもつれる。そのうえコロナウイルス災禍だ。

パキスタンは現地雇用がほとんどなく、中国からの労働者が囚人であったことをパキスタン国会が問題にした。スリランカでもモルディブでも現地の雇用はほとんどなく、不満が爆発して、ときおり反中暴動が起こる。アフリカ諸国では逆に現地人を奴隷のように酷使するので、これまた反中国暴動が頻発する。

それでも開発途上国はチャイナマネーが欲しい。中国の投資大歓迎、ＡＩＩＢ（アジア・インフラ投資銀行）歓迎となって、気がつけば「借金の罠」に陥落していた。

ナザルバエフは自国のＧＤＰが比較優位にあり資源を武器に外交力も確立したが、彼はロシアを牽制するために中国の浸透を政治的武器として利用したのだ。地政学上のパワー・バランスを熟慮すればカザフスタンが生き残る道は、それしかない。周囲をすべて外国に囲まれ海の出口を持たない内陸国家の宿命である。

２０１９年９月10日から３日間、トカエフ新大統領は北京を訪問し、習近平の出迎えを受けた。中国とカザフスタンは「永久的総合的パートナーシップだ」とする声明を読み上げ、全方位、相互互恵、共同挑戦などの綺麗な語彙《ごい》を並べて、共同で開発に勤しむことなどを内外に宣明した。

中国はカザフスタンへ5Gスパコン、ブロックチェーンなどの技術供与、技術開発援助など、従来のインフラ投資を超えたレベルの投資を約束し、またシルクロードを「光明之路」などとして、ウィンウィンの関係を強調した。

この新事態をどう見るか。中国は知的財産権の保護などと、自国が守らない条項も平気で強調したが、5Gスパコンなどの技術開発協力は「釣り餌」である。カザフスタンの優秀な学生たちはむしろロシアでの就労機会を模索する。

カザフスタンへ300億ドルの巨額をぶち込むとアドバルーンを上げた中国の目的は地政学的に重要な位置を占めるカザフスタンの民衆を、隣接する新疆ウイグル自治区のムスリムと連帯させないためだ。両国の共同宣言には「お互いの核心利益を尊重し、それぞれの分裂活動、独立運動を支援しない」との文言を挿入している。

実際にカザフスタンにはウイグル暴動の際に夥しいウイグル人が逃げ込んだ。カザフスタンの85%をしめるカザフ人はイスラム教徒である。東トルキスタン独立運動の秘密基地もあり、トルコやドイツにあるウイグル独立運動の諸団体と連携しているため、中国はSCO（上海協力機構）でテロ対策を第一義として、各加盟国と情報の交換などをしてきた。

しかしながら世界的に拡がった人道主義に悖《もと》る中国のウイグル弾圧批判をうけて、さすがのカザフスタンも中国への協力に熱心ではない。

またカザフタンが不満を抱くのは環境汚染、貿易不均衡、労働者の移入などであり、中国人労働者との賃金格差。加えての中国の領土的野心への警戒などが挙げられる。

上層部は中国歓迎、しかし底辺のカザフ国民は中国への不満を強めているという構造になっている。

日本とカザフスタンとの関係は良好である。

特にカザフ国民が親日的な理由はソ連に抑留された多くの日本兵が建設したオペラハウスなどの建物が、巨大地震にも耐え、70年以上を閲《けみ》してもまだまだ牢乎《ろうこ》として健全なこと、トヨタの進出などによって近代化が進み、またＪＩＣＡなどの農業支援で農作物生産が顕著に伸びたことなどによる。

日本外交は特に資源外交の展開に力点を置いており、閣僚クラスの往来も頻繁である。ナザルバエフ前大統領は5回来日している。２００６年には小泉首相が歴代初の現職総理として公式訪問した。２０１５年10月には安倍首相が「中央アジア外交」の核心として公式訪問し、ナザルバエフ大学で講演をしたが、そのときはナザルバエフ大統領も陪席した。同大学学長は日本人である。

パプアニューギニアのブーゲンビル島、住民投票は独立賛成が97%

ブーゲンビル島。そう、山本五十六《やまもといそろく》が搭乗した軍機が撃墜され、戦死した島である。

2019年に2週間をかけて行われた「独立か、自治か」の住民投票で97%の住民は「独立」という意思を示した。

この背後で暗躍したのも中国だった。

「完全自治」を選択したのは2%、ちなみにブーゲンビル島の有権者はわずか19万人弱。首都ポート・モレスビーの政府は焦燥の色を隠せない。

長く続いた武装闘争は、ブーゲンビル武装勢力とパプアニューギニア政府軍の内戦だったが、犠牲者が2万人を超え、パプアニューギニア政府は英国の戦争請負業に解決を依頼した。この背後にはオーストラリアとニュージーランドの支援があった。豪もNZもパプアニューギニアは自分たちの縄張りと認識しているからだ。げんに2018年に首都ポート・モレスビーで開催されたAPECでは、豪が空軍、陸軍を派遣し、警備を分担した。国際会議場はまるまる中国が寄付した。大統領官邸も中国が建てた。

ブーゲンビル島に何があるのか。

埋蔵580億ドルにものぼると推定される鉱山がある。同鉱脈に随走《ずいそう》する金、レアメタル。豪のリオティントの子会社が独占的な「採掘権」を持って開発し、操業を続けてきた。戦争の原因は資源をめぐる開発権争奪、ハイテク時代に使われるレアメタル需要の激増という背景があり、パプアニューギニア政府は、突如、豪から採掘権を取り上げ、国有化計画を提示した。資源ナショナリズムは、こうした発展途上国ながら資源リッチの国々の指導者がとりやすい政策である。

かつてのスーダンもジンバブエも、ザイール（現コンゴ民主共和国）も、資源を巡る内戦と、その背後にあった大国の思惑と策謀によって武装勢力との内戦が繰り返されてきた。

中国はブーゲンビル島の政治指導者に「空港、道路整備を援助します」などと巧妙に揚言し、「シルクロード・プロジェクトの一環」として投資を持ちかけていた。

鉱山を横合いから掠め取る魂胆がありありとしていたため豪政府が警戒を強めていた。

その豪を揺るがしたのが中国人スパイが豪政府に政治亡命を求めた「事件」の発生だった。中国のスパイだった王立強《おうりつきょう》（27歳）が2019年4月にシドニーに旅行し、そのまま滞在を続けて秘かにASIO（豪防諜機関）と接触、政治亡命を求めた。王の告白によって、中国の情報ネットワークが、豪ばかりか、香港と台湾でも特殊任務に就いており、情報収集、攪乱《かくらん》情報の流布、メディアの買収、世論工作をいかように展開しているかを暴露した。

例えば、2020年の台湾総統選挙。中国は情報機関に命じて蔡英文政権の転覆を指令し、このためにフェイクニュースや攪乱情報を流布するためにメディアを駆使したこと、中国は国民党の「韓国瑜を全面的に支援している」ことなどを暴露した。

「世論工作の重点はフェイスブックなどネットにもあり、サイバー部隊が組織されていて、フェイスブックのネットを容易に破壊できる」と王立強は豪のテレビインタビューで明言している。

米国に亡命したソ連KGBレフチェンコ事件を想起させる。

中国人スパイの亡命というこのニュースは世界を駆けめぐったが、日本のメディアの扱いは相変わらず小さい。台湾では1面トップ記事である。

日本でも中国人スパイが暗躍している。日本には防諜組織もなければ、スパイ防止法もない。スパイ天国であり、メディアは「中国共産党の代理人」に成り下がっている。したがって中国人スパイが、日本でも「工作」の数々を、日本で暴露してもメディアはほとんど黙殺するだろう。

もっとも効果的な手段は、KGB要員だったレフチェンコが、米国に亡命して議会で証言したところ、日本で大影響があったように、日本にいる中国のスパイがそのうち、米国へ亡命し、議会で証言することである。

そうすれば某新聞の誰それが、某テレビの誰それが、代理人であったかも満天下に晒されるだろう。

香港における工作に関しても、王立強は衝撃的な中国の情報活動の詳細をＡＳＩＯに吐露している。

第一に大学への浸透。大学生に中国に同調するような意見を拡散し、親中派を増やす一方で、武闘派にもシンパを装ってスパイを潜り込ませ、メンバーの割り出しをさせていた。

第二は「香港独立」を獅子吼する「香港民族党」へもスパイを潜り込ませていた。

第三に２０１５年に起きた銅鑼湾書店幹部らの拉致事件（社主はタイのリゾートから誘拐され、社長、社員も拉致された）に関して、香港における首謀者、実行グループの全貌を（王も当事者のひとりだった）、明らかにしたことだ。

王立強は香港では軍の情報部に所属し、情報収集に努めたほか、韓国の偽パスポートを使って（偽名は「王強」だった）、台湾にも赴いて工作に当たった。この告白により、中国情報部は簡単に韓国の偽パスポートを使っていることが判明した（豪のメディアは、この偽造パスポートを写真入りで報じている）。

亡命を決意した理由は何か？

王立強にはもともと絵画の才能があり、画家を目指していた。妻は豪の大学に留学しており、子供の妊娠を知って、「良心に問うて、自分がスパイだった不名誉と屈辱を子供に聞かせることができるのか」、すなわち妻の妊娠が決断させたと語った。

豪政府は亡命を認めるかどうか蜂の巣を突つく大騒ぎとなった。

リベラルの有力議員であるアンドリュー・ハスラー（豪連邦議会情報委員会座長）は、「彼は民主主義の友人ではないか」として、積極的に亡命を認めるよう、発言を繰り返している。「もし中国に返還したら、王氏は死刑になるのだ」。

中国工業地帯がゴーストタウン

中国人医学研修生が生体サンプルを米国から盗み出そうとした事件も発覚した。

２０１９年12月初旬の事件だ。

ボストンのローガン国際空港で、中国人医学研修生ゼン・ザオソン（音訳＝鄭蔵城）の荷物検査の結果、怪しい生体サンプル21個を発見され、ただちにＦＢＩが拘束した。大半が茶色の液体だった。しかも申告されておらず、米国から中国へ運ぼうとしていた。

ＦＢＩの内偵捜査はハイテクの企業やシンクタンク、ラボ、そして病院にも向けられた。

拘束された中国人は29歳。広東省にある孫逸仙大学のエリートとされ、ボストンのベス・イスラエル病院で研修を受けてきた。

帰国に際して「友人から預かった」として、物質（具体的にそれらが何であるかは公表されておらず、病原菌か、新薬研究のための材料か、あるいは生物化学兵器に転用可能なものかは不明である）をスーツケースに隠し持っていた。

ＦＢＩは中国人学生、研修生の実態調査に乗り出しており、シリコンバレーばかりか、全米の大学ラボ、企業の研究所などに在籍する中国人のなかでも怪しい人物を特定して内偵を続けており、同時期に次世代バッテリーの機密を盗人だ中国人も起訴している。このため３７００名から４０００名と言われる中国人が、急遽、帰国している。

すべてが表面化したのは２０１８年12月１日、カナダのバンクーバーで乗り換えのために立ち寄ったファーウェイ副社長兼ＣＦＯの孟晩舟の拘束だった。米国はただちに身柄の米国移送を要求した。ところが親中派のトルドー首相は優柔不断、中国がただちに釈放せよとの恐喝にふるえ、いまだに裁判を継続中で、孟晩舟はカナダの豪邸に居座っている。

そして同じ日にサンフランシスコ郊外で、物理学の天才といわれた張首晟スタンフォード大学教授が謎の自殺を図ったことは述べた。

張教授は、面妖な財団を設立して、ハイテク開発に卓越した人材を集め、中国へ就労を斡旋《あっせん》する機関の責任者という別の顔があった。

ＦＢＩは内偵を続けており、張教授の自殺は、孟晩舟拘束事件の直後に起こったので本当に「自殺」だったのかと今も怪訝《けげん》な声が上がっている。

コロナウイルス騒ぎの前から広東省から有力な外国企業が次々と去り、街はいずこもシャッター通りとなった。典型がサムスンが工場を閉鎖した恵州だ。

２０１９年11月だけでも豚肉は11・８％の値上がり、牛肉、鶏肉、羊肉など一斉に値上げ（11・８％から25・７％）され、消費者物価指数は４・５％高となった。他方で給料が下がって、生活苦を訴える労働者。まして自動車販売は19％の落ち込み。そこに加わったのが「サムスン不況」である。

サムスンは天津と恵州のスマホ工場を閉鎖した。サムスンは恵州に12万平米の大工場を運営し、例えばスマホを数千万台製造し、出荷してきた。ピークの２０１７年実績で天津工場から７０１４万台、恵州工場からは５５６４万台。もちろん、スマホ輸出は世界一だった。

中国メーカーの華為技術（ファーウェイ）、ＺＴＥ（中興通訊）などが猛追し、さらには小米（シャオミイ）、ＯＰＰＯなど廉価版のスマホが市場に参入してきたため、スマホのシェアが激減していた。そのうえ賃金の高騰にネを上げ、サムスンは主力工場をベトナムに移転させ、中国工場は天津も含めて空となった。

「世界の工場」といわれた広東省全体で、100の有力工場が閉鎖された。駅前ばかりか、住宅地もシャッター通り。恵州の西隣に位置する東莞《とうかん》は、数年前からすでにゴーストタウン化していた。労働者が去って街は人通りも少なくなった。じつは東莞は中国一の風俗産業の集積地であり、往時は30万人の売春婦がいた。習近平の号令一下、風俗産業が駆逐され、どっと人口が減ったことも影響した。

恵州は人口460万人、観光名所としては南に大亜湾に面し、白鷺湖、恵州西湖、九曲湖など。恵州の人的基盤は客家人だ。

東莞の労働者は3ヶ月休暇の強要から、週3日勤務、それも1日4時間が上限となって、単純計算でも給与は4分の1になる。

経済の悪化は、予測よりも深刻である。

恵州にはホンダのほか、ヤクルトなど少数の日本企業が進出しているが、日本企業で目立つのはゴルフ場を経営する会社くらい。日本料亭も少ない。恵州の名前から「恵」を削除する日が来たのかも。

中国上場企業の負債は620兆円、地方政府の負債は800兆円に達したと報じられたのが2019年夏頃だから、今頃はもっと巨額だろう。

もはや驚きには値しない。中国企業、政府の負債は膨張する一方だが、中国人民銀行は「金融緩和」でじゃかすか札びらを印刷し、市場に供給を続ける。設備投資に廻すのではなく、償還期限の金を返すために繋ぎ融資を行っているに過ぎない。

銀行は見境なく、共産党が「あの企業を潰《つぶ》すな」と命じれば、カネを貸してきた。

無理がたたって息切れが起きた。王岐山系の「海航集団」も鄧小平の孫娘の女婿が経営してきた「安邦生命」も運転資金が枯れ果て、在米資産を叩き売ったが、それでも足りない。倒産しかけるや国家管理に移行し急場を凌《しの》いだ。銀行もすでに数行が倒産寸前となって取り付け騒ぎが起こったが、今までのところ救済措置がとられた。遼寧省、吉林省、黒竜江省の「包商銀行」「錦州銀行」などの地場銀行は地方政府が管理し、倒産を免れたが、「事実上の倒産」なのである。

有力企業の社債不履行は2019年1月から11月までに、2兆1700億円に達していた。これは氷山の一角であり、年明けとともに急カーブで増えている。最大のケースが「中信国安集団」で、差し押さえられた財産は100億元以上。債務不履行額は94億元。この中信国安集団はCITIC（中信資本）傘下、まさかの債務不履行は、本体のCITICも怪しいということである。

青海省の塩湖工業は倒産手続きに着手した。永泰能源など有力企業が轡《くつわ》を並べての社債不履行が意味することは、地方政府が救済のためのプロジェクトがなくなり、地方政府はおよそ800兆円にのぼる債務を、どうするのか、解決策が見つからず、中国経済には倒産突風が吹き荒れている。

日本はざまを見ろと高みの見物をしている場合ではない。中国企業の倒産や社債の債務不履行は直接、日本経済に甚大な被害をもたらすからだ。

バブル崩壊後の日本企業は借金に懲りて、内部留保を図ってきた。設備投資をしない。金融緩和で余った金を、海外の工場、企業買収に使ったため、日本の国内景気は悪化する一方であり、G7で唯一経済成長がない国となった。

CITICには数千億円の出資をしている日本の某商社ばかりか、多くの日本企業の内部留保は、海外の「債券」「ファンド」に投資されている。そのファンドの中身を吟味すれば、欧米のファンドマネジャーらは、高金利を狙って中国の社債や株式をごっそりとポートフォリオに加えている事実に突き当たる。だから、日本も甚大な被害を被るという図式が浮かんでくるのである。

そこへもってきて、2月24日から29日までの一週間でウォール街は12％の株暴落を演じている。不気味な足音が聞こえる。

台湾を断交したエルサルバドルをめぐる米中の争い

2019年11月29日、エルサルバドルのナジブ・ブケレ大統領が訪日し、安倍首相と固い握手を交わした。

安倍首相夫妻との夕食会も行われ、両国の長い友好関係を祝った。なにしろエルサルバドルは、満洲国を最初に承認した国であり、原住民の先祖は、日本の縄文人と同じくモンゴロイド系である。

日本はエルサルバドルのインフラ整備の一環として港湾工事に1億ドルの援助を約束していた。同時に日本は中国の進める一帯一路に「協力する」と表明し、孤立する中国の側面援助を外交目標として掲げていた。

エルサルバドルはニカラグア、ホンジュラス、コスタリカに囲まれ、カリブ海には面していない小国、面積は四国程度しかないが人口は650万人もいるため、一人当たりのGDPは5000ドルに満たない。

それゆえ海外への出稼ぎによる送金で国の経済が成立しており、実質的には200万人が米国へ潜り込んで不法就労していた。あまつさえエルサルバドルは、イラク戦争でも米国に協力して派兵しており、法定通貨は米ドルである。自国通貨はあるが、使う人がいない。パナマやエクアドルと同様である。

ところが親米路線が大きく揺れた。トランプがメキシコとの国境に高い壁を作ったことで、仕送りが急激に細り、エルサルバドルの経済は想定された以上に悪化していたのだ。中国が、このアキレス腱をついて政権中枢に札束攻勢をかけた。まったく呆れるほどに、どこの急場にも不意に中国が顔を出すのである。

トランプ政権は2018年8月21日に、エルサルバドルが台湾と断交したことに激怒し、大使を召還する対抗措置を取った。エルサルバドルと台湾は85年間の外交関係があった。密接な関係が謳われ、台湾の「中華民国大使館」は宏大な敷地を有した。

すでにスリランカのハンバントタ港が借金の罠に陥落して、中国の軍港と化けたことは世界中が知っている。パキスタンのグアダル港もそうなったし、ジブチには中国軍の基地が建設された。西側は中国の軍事的脅威と認識し、一帯一路への警戒を強めた。

中国が一帯一路の一環としてエルサルバドルの港湾整備に協力するというのが条件だった。しかし港湾とは、軍事拠点を意味することは常識であり、港湾の防衛、ターミナルの運営などは国家安全保障の文脈で考える。商業活用の文脈でしか考えないのは日本くらいだろう。

エルサルバドルの港湾の運営権が中国企業に譲渡される密約の存在を米国は嗅《か》ぎつけたらしい。ならばどうするか。トランプ政権は日本に圧力をかけて、約束したエルサルバドル融資を中断させたのである。

「遷都」という穏健な政変

日本では革命に替わる政変、それよりもっと穏健な政変の手段として「遷都」がある。神武東征以後の首都というのは天皇の住まいであり、橿原《かしはら》に即位し三輪神社との縁《えにし》で権力基盤を不動のものとし、朝倉の丘、巻向など、奈良周辺を転々とした。

大津への首都移転は、新羅《しらぎ》の軍事的脅威から守るための自衛であり、安全保障上の問題からだった。大津なら水運がひらけており、大阪への移動に便宜性が高いという利点もあった。だが壬申《じんしん》の乱で大津は荒廃した。

飛鳥から奈良（平城京）への移転は既存勢力（僧侶、貴族）の横暴に対して清新なまつりごとの必要性からだった。だが大仏開眼《かいげん》に見られるように甚だしい仏教擁護は、また僧侶と貴族階級の専横を許し、桓武《かんむ》天皇は長岡京への遷都を決めた。

長岡京市に行くとわかるが、地政学的な要衝であり、秀吉と光秀の山崎の合戦も、この近く、秀吉に敗れた光秀が当初逃げ込んだのは長岡京の勝竜寺城だった。長岡京が10年で廃れたのは、推進役の藤原種継《ふじわらのたねつぐ》の暗殺だった。そこで桓武天皇は京都への遷都を決め、新しい都が建設された。京は１３００年の長きにわたって日本の首都だった。

過去半世紀の世界史を眺めると、諸外国でも遷都はしばしば実行されている。典型はブラジルの新首都ブラジリアの建設がある。

そしてミャンマーは森のなかに新首都ネピドーを造成した。カザフスタンはアスタナに首都移転しヌルスルタンと改称したことは前節までに見た。

直近の遷都はインドネシアである。

ジョコ政権はボルネオ島の東カリマンタン、石油コンビナート基地＝バリッパパンと木材輸出港の間にある密林を開発し、新首都とすることを正式に決めた。だから中国がつけいるのである。

最大の理由はジャカルタが人で溢れ、そのうえ下水、排水溝設備が悪いので、雨が降ると幹線道路は河になる。あまつさえ地盤沈下が著しいため首都移転という構想はスカルノ時代からあった。

筆者は遷都候補地の現場を見ることにした。

ジャカルタで国内線に乗り換え、まずはカリマンタンの入口に拓ける地方都市の典型＝

バンジャルマシンへ飛んだ。人口64万人というバンジャルマシン市内へ至る道筋は綺麗に整備されブーゲンビリアの花々が咲き乱れていた。さぞや景気沸騰に燃えているに違いない。現地の英字紙を読むとセメント企業もデベロッパーもウハウハだと報じている。

カリマンタンはボルネオ島の南、およそ80％をしめ、大半が密林と高地、富士山より高い山もあって火山活動が続く。ボルネオの北側20％はマレーシアのサバ州、サラワク州とブルネイ王国である。

バンジャルマシンの表通りにはきらびやかな高級ホテルが並び、KFCなどファストフードもある。近代的なショッピング・モールもあるが、一歩裏路地へ入ると、ベニヤ、トタン屋根のボロ家、朽ち果てそうな木材の屋台。典型の貧困地帯が続く。早朝、近くのバザールを見学する。古着、古本、安物のサンダル、偽の時計、物価は安いが、しなびたキュウリとか、期限の切れた即席麵とか。

「首都がカリマンタンと決まりましたね」と運転手に話しかけても、「それがどうした」と興味なさそう。ジャカルタに反感を持っていることだけは会話の節々から伝わってくるが、「完成しても10年は先の話、一部の建設業者が潤うくらいでしょ」。

バンジャルマシンで宿泊したスイスベルホテルはマカッサル海峡を南に臨み、早朝5時半にボートを出してくれる。1時間ほどマルタプラ河を遡《さかのぼ》って水上マーケット見学を無料で提供している。眠い目を擦りながら、ボートは20人ほどの宿泊客を乗せて、水上生活者の集落を両岸に見ながら遡上《そじょう》を続けた。

泥で汚染された河の水で水上生活者らは歯を磨き、顔を洗い、洗濯している風景はインドの聖地ベナレスの光景に重なった。

この衛生観念の希薄さを目撃すると、ここはインドかと錯覚したほどだった。

水上マーケットは期待に反して廃れかけ、買い物客より観光客のほうが多い。果物とか野菜を売りに来るが、インド人物売りのようなしつこさがない。そもそも外国人が興味をそそられるような物品を売っていない。通勤はもっぱらバイク、自転車はほとんど見かけず、タクシーも少なく大半がリキシャだ。バイクの3人乗り、4人乗りは珍しくなく、交通警官も注意しない。

バリッパパンは人口56万。筆者にはこの街を見ることにある思い入れがあった。石油コンビナートの街、たいそう景気の良い大都会。人口は同じくらいでもコンビナートは四日市の数倍の規模である。

中国が狙うインドネシア新首都開発プロジェクト

新首都は、このバリッパパン空港を拠点にバスで4時間ほど北側の東カリマンタン州の州都サマリンダ市にかけてジャングルを開拓する計画である。

サマリンダ市は木材の輸出港として栄え、人口はカリマンタン一の84万人。原始林を伐採し、マハカム河を筏《いかだ》を組んで港まで運ぶ。林業全盛である。

このサマリンダとバリッパパンの間に拡がる密林を開墾する新首都には政府庁舎、大統領官邸、迎賓館、国会議事堂をコンパクトにまとめ、緑豊かなエコシティという青写真だ。しかし首都移転にかかる費用は3兆円。政府は、このうち19%を予算化し、残りは民間企業の投資に期待する。計画の具体策がまとまるのは2021年、ということは完成は2030年、多くの批評家が「本当に実現するのか」と冷たい目で見ているのも、ミャンマーの新首都ネピドーやカザフスタンの例を見ているからだ。

多くの読者には「バリッパパン海戦」と言っても具体的なイメージが湧かないかも知れない。

戦前、わが帝国海軍はこの資源拠点を抑えていた。そして中曽根康弘元総理の名を思い出す人は、よほど戦史に詳しいに違いない。

当時、東大を出たばかりの中曽根は海軍主計中尉に任官し、呉に赴いた。輸送作戦のため中曽根主計中尉はミンダナオのダバオからマカッサル海峡を経てバリッパパンへ入る輸送船団にいた。超硬切断機のメーカー大阪利器の奥村氏（先代社長）は資源問題のシンポジウムなどでよくお目にかかったが、中曽根の同期だった。彼によればバリッパパン海戦とは次のとおり。

日本海軍は数隻の船団編成で向かったが、米豪英の連合軍から攻撃され、多くが沈没、中曽根が乗船した船の前後4隻も撃沈された。日本海軍の輸送船団は敵潜水艦と空爆に脆弱だった。

バリッパパンで筆者が真っ先に行ったのは日本軍の砲台跡地である。

今も2基の高射砲が記念碑的に置かれ、由来を書いた看板がある。しかし付近に墓地がないので花や線香の匂いはなかった。日本兵の多くは浜辺に打ち上げられ、火葬された。悲しみ、慟哭《どうこく》、中曽根は詩を詠んだ。

今、高射砲の残る高台から海と石油コンビナートが見渡せる。巨大なエネルギー基地となってインドネシア経済を支えている。

慰霊を済ませると、埃《ほこり》だらけの下町を抜けて、「チャイナタウン」と称する地区へ行った。どこにも中華の匂いがしない。10人にひとりほど中国系との混血かと思われる住民もいるが、話しかけても北京語が通じない。ただし店先に並ぶ品物は豆腐、胡椒、香料、中国料理に特有の麺、野菜。中華の食文化が濃厚に残っていることだけはわかった。

市場をかなりほっつき歩いても中華街の雰囲気に乏しい。諦めかけて地区のはずれまで来ると、「広肇集会所」と漢字の看板があった。「広」は広州、「肇」は肇慶市《ちょうけい》をさす。

その集会所の前に佇んでいた初老のおっさんに声をかけると北京語が通じた。

「このあたりチャイニーズが分散していて、何人いるかは不明だけど、広東人に混じって金門（福建省）出身の中国人も多いよ。あんたどこから来た？」

「東京です」と答えるとキョトンとなって、「東京って、（中国の）何処にあるのか」と聞き返してきたのだった。

バリッパパンの中国人は移民3世、4世の世代であり、名前もインドネシア風に改名して現地に溶け込んでしまった。

近年の中国人「新移民」はジャカルタに集中している。ジャカルタのチャイナタウンでは華字紙が4紙も発行されている。

インドネシアにおける日本の存在と言えばジャカルタの大使館のほか日本領事館がスラバヤ、デンパサール、メダン、そしてマカッサルに置かれている。だが、商社や資源関連企業の駐在員がいるバリッパパンに日本領事館はない。目抜き通りのジャラン・ジェン・スディルマンの両脇には豪華なマンションが林立し、中心地には高層のショッピング・モール。吹き抜けのロビーでは、日本の盆踊りに匹敵するかのようなダンス大会が開かれていた。カリマンタンの貧富の格差、かなり大きいと見た。

戦前、南洋諸島へ日本が進出したのは国策に沿ってのことだが、目的は資源確保である。米英は日本への石油を禁輸し、ABCD包囲ラインを敷いた（A＝アメリカ、B＝英国、C＝中華民国、D＝オランダ）。特にオランダが日本軍の進出に恨みを持ったのも、彼らの権益と正面からぶつかったからで、スマトラのパレンバンでは、「空の神兵」と言われた日本軍落下傘部隊が降下し、オランダ兵は抵抗せずに降参した。

その恨みをオランダは戦後「連合国」にすまして加盟し、日本から賠償金をせしめ、さらには昭和天皇訪問時に、卵をぶつけるなど、欧州における反日国家の典型となった。

それも今や昔話、インドネシアの経済の現況はと言えば、よちよち歩きながら明確に離陸した段階と見た。ASEAN諸国の中で一番の人口大国でもあり、今後の発展が期待されている。

ところで、鳴り物入りだったジャカルタ〜バンドン間の新幹線はどうなっているのか。

2016年、日本がフィージビリティスタディ（商業化照査）を済ませ、応札した矢先、中国が横合いからかっさらったプロジェクトである。2020年完成が謳われたにもかかわらず、じつは工事が本格的に開始されていない。中国側はインドネシア側が用地買収に手間取っているからと責任転嫁。実態は当時の北京政府が「赤字でも構わない。ともかく受注せよ」と厳命し、現地の政治家に賄賂を贈り、日本の詳細な計画書を秘かに入手し、ほとんど同じ計画書の中国語訳を提出して応札したのだった。この新幹線プロジェクトは頓挫している。中国からエンジニアが戻らないためだが、同時にインドネシアの中国不信感が増大することになるだろう。

戦いをやめた西洋人はいずれ衰退する

オバマ時代まで米国の対中政策を操った「パンダ・ハガー」（愛中派）らが米国首都ワシントン政界で敗れ去った。

替わって「ドラゴン・スレーター」（龍処刑人）が、米国の対中国交の主導役となった。このトランプの対中外交転換に強い影響力を持ったのは「フーバー・レポート」だった。その原典とも言えるのが何清漣、福島香織訳『中国の大プロパガンダ――恐るべき「大外宣」の実態』（扶桑社）である。

何清漣は在米の中国人ジャーナリストとして数多い作品を書いているうえ主要な作品のほとんどは日本語訳されている。

チャイナ・ウォッチャーのみならず、一般読者の興味をぐいと摑んで放さない魅力とは彼女の情報分析の冷徹で慧眼《けいがん》な視点が、所謂《いわゆる》「ジャーナリスト」的でありながらも、独自の研究に裏打ちされている。

中国は2009年から、450億人民元（8000億円強）もの巨費を投じて、対外宣伝作戦を始めた。なにしろ「中国にとって報道とはプロパガンダのことだ」。

世界各地で展開した政治宣伝作戦の詳細は、米国を例にして見ると、NY42丁目のタイムズスクエアの電子広告板（液晶ビジョン）を借り上げ、米国の新聞に『チャイナ・デイリー』（英語版の人民日報のような宣伝紙）の折り込みを入れ、あるいは紙面に挿入させるという大胆な手法で、米国にチャイナロビイを形成し、多彩で幅広い領域へと、プロパガンダ作戦を拡大してきた。

この侵略的な宣伝戦争をペンス副大統領は演説で指摘した（18年10月4日）。

新聞記者、学者、政治家の籠絡も派手に展開された。有力な大学には北京語を教えるとした孔子学院を作った。議会人にはあご足つき、ときに美女付きの招待旅行を次々と繰返し、他方、シリコンバレーなどでは高給で釣って優秀な人材をスカウトし、中国のハイテク向上に役立てた。何も対応策を採らず、指をくわえて見ていたのは歴代政権だったが、クリントンとオバマ政権幹部もまた中国マネーで薄汚く籠絡されていた。ロサンゼルスタイムズは怪しげな華僑の資力によって買収された。この手法は香港と台湾でも、あらかたの新聞、ラジオ、テレビ、出版社が中国の資力によって陥落した。

香港の出版界の実情と言えば4分の3の出版社が中国資本となり、中国共産党批判の書籍は書店には並んでいない。辻々の屋台で売っているという有様なのである。

かつては良心的と言われた『星島日報』や『明報』もじわりと真綿で首を絞められるように代理人を通じて中国資本が入り、論調が変わってしまった。しかし「これら新聞（『大公報』を含めて）の香港における信用度はきわめて低く」、香港の人々からまったく信用されていない。「親共メディアは読む人などいない」と何女史は言う。

米国の所謂「シンクタンク」の学者も、中国のカネに弱かった。

ワシントンの「Kストリート」というのは、ロンドンにあった「軍艦街」とは異なって、政治ロビイストとシンクタンクの集中地区である（ロンドンの「軍艦街」は政府批判を吠えるような論調の新聞社が並んでいた時代に、そう愛称された）。

このKストリートの保守系シンクタンクにも中国資金がぶち込まれた。中国は、「委託研究」とかの名目で、あらかたのシンクタンクに法外な研究費を資金提供し、事実上、研究員を間接買収し、中国贔屓《びいき》の提言を作成させたのだ。

Kストリートがワシントンの政策決定を動かし、ウォールストリートが米国経済を動かし、メインストリートが、米国の支配層を領導する図式がある。Kストリートの保守的なシンクタンクですら、一時期の中国批判色は希釈される始末だった。2015年までの米国は、取り憑《つ》かれたようにチャイナ礼賛が続いていた。いったい何事が起きているのか、訝《いぶか》った人も多かっただろう。

何清漣女史はこう指摘する。

「ワシントンのシンクタンクが外国政府から大量の資金提供を受け、ロビー機構に成り下がっており、米国官僚にその国に有利な政策を推進させていた」

中国の米国メディアへの浸透、ロビイストたちの籠絡、そのうえアカデミズムの世界への乱入があった。こうした「紅色浸透」によって、オバマ政権下では「G2」が叫ばれた。ズビグニュー・ブレジンスキー（学者、カーター政権で大統領安全保障担当補佐官）やロバート・ゼーリック（元世銀総裁）が声高に提唱し、「世界を米中で分かち合う」などと中国高官らは高らかに言い放っていた。

中国の「紅色浸透」は映画界にも及び、かつてさかんだった反中映画は鳴りを潜めた。かわりに南京大虐殺があったとする反日映画。出版界でも「レイプ・オブ・ナンキン」というフェイク文書が老舗ペンギンブックスから出されたばかりか、今も売れているのは、組織買いである。

日本ではどうかと言えば、中国は別にカネを使わなくても、日本人の政治家も新聞記者も自ら尻尾を振ってやってきた。このチャイナの傲慢はいつまで続くのか、懸念が拡がった。

ところが香港では2月28日に逮捕された黎智英の『リンゴ日報』以外、自由主義に立脚する新聞は香港にないが、中国礼賛の『文匯報』など、新聞スタンドで、まったく売れていないのだ！

『リンゴ日報』は飛ぶような売れ行きと比較して、これはどういうことかと思っていると、早朝7時。辻々におばさんたちが立って『文匯報』を無料で配りだしたではないか！

つまり中国共産党のビラゆえ、大量の買い上げによって成り立っているのだ。これは台湾でもほぼ同じである。かつて国民党の宣伝ビラとまで言われた『連合報』も、『中国時報』も台湾人のダミーを経由して中国から資本が入っている。台湾のテレビ、ラジオもそうである。

しかしながら香港と台湾ではどうやって真実を知っているのかと言えば、近年猛烈な勢いで発達したSNSである。日本でも学生らが朝日新聞を読まなくなったようにアジアの若者たちは新聞をまったく読まず、SNSで正確な、客観的情報を入手している。

こうして中国はコロナウイルス災禍の前からすでに世界で孤立していた。

第4章

そして習近平国賓来日は延期へ

こんなときに習近平の「国賓」来日？

4月に習近平国家主席の国賓としての来日が実現しそうな雲行きがあった。

2月15日にミュンヘンで行われた日中外相会談でも、日本側は「こんなときだからこそ来日を実現し両国関係の緊密化をはかりたい」と寝言のような発言をなし、王毅外相は「日本の協力を高く評価したい」などと高飛車な発言を繰り出していた。

米国ではいなくなったパンダ・ハガーが日本では健在なのである。それも大量に！

この間、中国はアメリカとの貿易戦争で大きな妥協をなした。

トランプが発動した高関税撤廃へ向けて大きく姿勢を変え、ついにメンツを捨てて妥協の道を選んだのだ。しかし中国国内では「下関条約のごとき不平等条約」と習近平批判の投書がネット上にあとを絶たず、窮地に立たされていた。米国vs.イラン対立という外患の発生により、国民の関心をほかへ転進させることができるはずだった。コロナウイルスの猛威が中国を激変させる前である。

死者が2000名を超え、4億の中国人が封鎖状況に陥り、3億の出稼ぎ労働者が工場へ戻らず、国家が危殆《きたい》に瀕《ひん》したことが明らかになって物理的に習の来日は不能となったが、日本政府は「こちらから『延期』を要請してはいない」と言葉を濁した。本来なら延期ではなく「中止」を要請すべきだが……。

2月28日、国務委員の楊潔篪《ようけつち》（元外相）が来日して日程を煮詰めたが、事実上の結論は「延期」だった。

もとより日本の国内世論は歓迎ムードになく、自民党内には反対論が強かった。全国各地で反対集会が開かれ、新聞には「反対」の意見広告が出た（筆者も小堀桂一郎、西尾幹二、加瀬英明、髙山正之氏らとともに「代表呼びかけ人」のひとりだった）。

しかし安倍政権は公明党との「連立」であり、公明党は積極的賛成であるうえ、与党自民党内の多くは親中派、その自民党を支える財界はほぼ親中派、安倍首相の周りは来日促進派で固められていた。

しかし東京五輪直前という時期になぜ「友好国」ではない中国のトップが「国賓待遇」になるのか。公式訪問ならともかく「国賓」として来日するからには天皇陛下主催の晩餐会が行われる。その次は答礼として天皇訪中が、日程にのぼるだろう。中国の目的は後者である。

中国敵視の米国から日本の外交へ懐疑論がほとんど聞かれなかったのも不思議なことだった。が、種明かしをすれば「トランプにとってウォール街の株高が再選への最重要課題であり、基礎的要件、この米国の株高を支えてくれているのが日本のマネーだから、多少のことには目をつぶろうというわけだ」（田村秀男氏）。

トランプ政権は中国へ制裁関税を課し、ファーウェイ、ZTEなどハイテク通信企業が米国から技術を盗んだ、国家安全保障上の脅威だとして徹底排斥し、2月14日にはファーウェイを追起訴した。片っ端から中国人スパイを逮捕し、留学生ビザの更新を規制し、いくつかの孔子学院を閉鎖させ、さらに台湾旅行法、EL（エンティティ・リスト）、高関税による貿易戦争、そして香港人権民主法制定と続いた。

「香港の民主化運動に米国は連帯する」とペンス副大統領は演説した。

トランプ大統領より議会の反中国ムードは激しく、常日頃、トランプを激しく批判してきたメディアも中国となるとトランプ大統領より右、すなわち「愛国的」である。

2019年12月3日に米連邦下院議会は圧倒的多数で「ウイグル人権民主法」を可決した。香港人権民主法に続いてウイグル族弾圧を強める中国に対して、取引業者の制裁などを盛り込んだ。ただちに中国は「内政干渉」と強烈な反論を展開したが、強がりを示したに過ぎない。

かように米中関係が殺伐としているタイミングに、米国から見れば敵対的な行動に安倍外交が打って出たのである。トランプ政権としては日本を懐疑視するのは当然だろう。

ところがワシントンで習近平国賓来日に疑問の声が上がらないもうひとつの理由は日本

政府がさきにトランプ政権に根回ししたからだろう。「米中交渉決裂の最悪シナリオにそなえ、別のチャンネルを維持する必要がある」とかなんとかの理由をつけて。げんに米国が敵対するイランのロウハニ大統領の来日に対しても、不思議なことに米国は容認姿勢だった。

２０１９年12月7日、国家安全保障局長の北村滋局長（警察出身）が突如、訪中した。楊潔篪国務委員と同月下旬の日中韓首脳会議（12月23日から中国四川省成都）の事前すりあわせが目的だったが、この席に王岐山（国家副主席）がわざわざ顔を出し「安倍首相の訪中で春の習主席国賓訪日の具体化を期待している」と耳打ちした。

舞台裏で黒子を務める飯島勲《いいじまいさお》・首相補佐官は、メディアに頻繁に登場して訪日の意義を声高く礼賛し、国内の反対論を歯牙にもかけていなかった。財界はもとより歓迎、だからメディアは反対の声をほとんど黙殺した。読売新聞は２０２０年元旦社説に書いた。「習近平国家主席の来日は、日中の対話を深める好機である」と。

中国の究極目標は天皇訪中だ

何かおかしくないか。

外務省と中国の共同策謀かと疑うのも、外務省内にチャイナスクールが隠然として復活し、世論を無視し、国賓待遇キャンペーンを静かに展開してきた。日本の外務省は国益より中国の利益を優先させたかのように。

日本では15の大学に孔子学院が健在、テレビと新聞は中国批判を封じ込め、目立つのは時代遅れのパンダ・ハガーばかりだ。彼らが日本の世論を誤導している。

しかし2005年の反日暴動以来、港の世論は中国を非友好的で全体主義国家だと認識し、庶民レベルとなると中国が嫌いと答える国民が85％を超えている。政府と民衆がこれほど見事に乖離している政局は珍しい。

一時ブームだった中国ツアーはコロナウイルス騒ぎの前から激減していた。中国への修学旅行も減少、反対に台湾へ振り替える高校が増えた。このような国民の反応を無視して、しかも「国賓」として迎える安倍政権の外交は、いかなる国益に基づいていたのか？

指摘したように習近平来日の究極の狙いは、引き換えに天皇陛下の訪中にあった。

昨秋（2019年）の即位式に中国は王岐山国家副主席を日本に送り込んだ。李克強首相の訪日は前年の5月だった。しかも中国資本が土地買い占めに狂奔《きょうほん》している北海道を視察させた。

中国は過去の例を思い出したのだ。1989年の天安門事件後、西側が制裁継続中に日本はまっ先に中国制裁を解除し、天皇訪中を強行した。中国の国際的な孤立は日本によって救われたのである。

舞台裏では米国の執拗《しつよう》な要請があったからである。

ブッシュ大統領（父親、当時）はスコウクロフト補佐官ら密使を北京に送り込む一方で、天皇訪中をカード化するよう宮沢首相（当時）に働きかけた。パパ・ブッシュは名うての親中派であり、米国初代北京駐在代表だったが、レーガン政権の副大統領時代からヘンリー・キッシンジャー（元国務長官）をご意見番としていた。息子（ブッシュ・ジュニア）も少年時代を北京で送った経験があり、親子2代の親中路線を継いだ。

ブッシュ政権が日本の天皇訪中を政治カードとした理由は1年以上も北京のアメリカ大使館が保護した方励之《ほうれいし》博士の米国出国が条件だった。

銭其琛《せんきしん》外相（当時）自身が回顧録で、

「日本は（中国に制裁する西側諸国で）最も結束が弱く、天皇訪中は西側諸国の対中制裁の突破口、大成功だった」と明記した。

このときも日本国内では保守陣営が結束し、天皇訪中に異議を唱え、集会、意見広告などを打ったが、宮沢政権は無視した。

したがって習の国賓来日があれば、次は引き換えの天皇訪中に加え、中国の国際的孤立環境から脱するために日本というアキレス腱を突いて、逆境突破の道具とする思惑、これも切羽詰まった動機だ。それゆえ習近平政権は犬がしっぽを振るように、抗日ドラマの放映を中止したり日本を刺戟《しげき》しないように下手に出たのである。あまつさえアジア諸国の多くが中国の一帯一路を「借金の罠」と認識しているときに、安倍政権は「一帯一路への協力」を謳いあげた。

香港大乱の行方が定まらず、まるで解決の兆しさえないウイグル問題。加えて南シナ海の侵略行為が継続され、台湾への脅しと選挙介入。香港での無礼千万。中国の傍若無人に対して国際的批判が巻き起こり、しかも理由を明示しないまま日本人14名を拘束した（うち5名が実刑）。

中国の国際的孤立と併行して、世界の動きに逆行する安倍外交。先行きに暗雲が立ちこめてしまった。保守論壇は習近平主席の国賓としての来日に絶対反対。安倍首相支援組も「この拙速外交ばかりは支持できない」とする論客が増えた。

米国でも少数ながら懐疑論が初めて出た。

「安倍政権の対中融和策は失敗する」と、ランド研究所のジェフリー・ホーヌングが発表した。

「日中両国は互いの便宜のために対立点を脇に置き、融和を始めたようだが、戦略面での基本的な相違や衝突があまりに大きい。和解は必ず失敗する」と予言した。

コロナウイルス災禍に襲われ、中国に拡がる絶望感。めぼしい雇用機会は遠くなり、繁栄は何処とも知れずに消え去り、国家がやっていることは何かと言えば、通商摩擦、とりわけ危険な対米衝突、少数民族の弾圧を繰り返し、習近平の無能に対しての不満が堆積している。外国メディアに伝わっていないが中国各地に発生している暴動は香港並みに凶悪化している。そのうえ自警団が自ら町や村を封鎖しているわけだから食糧危機が起こり、中国各地に暴動が連続する可能性が非常に高い。

米国とイランは戦争するのか

2020年は大波乱の幕開けとなった。というのも昔から中国では60年ごとに異変が起こるとされ、1840年がアヘン戦争、それから60年後の1900年には太平天国の乱、1960年は大飢饉《ききん》。そして迎えた2020年はコロナウイルス災禍だ！

2020年は東京五輪に米大統領選挙、その狭間にイランとの戦争に踏み切るのか、トランプの正念場が不意に訪れた。

もし、イランとの戦争になれば、漁夫の利をあげるのは中国であり、ロシアである。被害甚大なのは原油を中東に依存する日本である。

イラン革命防衛隊のソレイマニ司令官殺害を命じたトランプ大統領に対して、すぐさまイランは「厳しい報復」を宣言した。

空襲攻撃は2020年1月2日だった。イランはただちにソレイマニ司令官の「殉教」を認めた。ヒズボラを使ってイスラエル国境には巨大なソレイマニ司令官の銅像を建てる。テヘランをはじめ、イラン各地で追悼集会が開かれ、星条旗が燃やされて報復を誓う声が上がった。全世界でアメリカ大使館ならびに外交施設そのほかは厳戒態勢に入り、同時に米国は中東のクエートへ陸軍空挺団3000名の増派を決定した。エスパー米国防長官は「予防的対応もあり得る」と警戒を強める指示を出した。

ワシントンの連邦議会では民主党が「戦争の危険性が高まった」とトランプを非難し、共和党は「テロリズムの脅威を取り除いた。海外にいるアメリカ人の生命を守った」と反《はん》駁《ばく》した。メディアにも賛否両論が溢れる。

トランプ大統領は「戦争予防のためであり、スレイマニ司令官は過去20年間に1000名を超える市民を拷問し殺害してきた世界ナンバーワンのテロリストだ。彼を殺害する行動を米国はもっと早い時期に取るべきだった」と述べた。

議会では野党のシューマー上院院内総務が「議会に諮らないで攻撃したことはルール違反だ」と批判すれば、共和党側は「オバマは中東に合計で2800発のミサイルをお見舞いしているが、はたして議会の承認を得てからの決定だったのか」と噛みついた。民主党はおおむね攻撃に否定的であるのも選挙を睨《にら》んでの政治宣伝だ。

米国の緊張に比べて、しめたと内心思っているのは中国とロシア、そしてトルコかも知れない。

トルコ議会は正式にリビアへの派兵を決定し、リビア原油の権益確保に乗り出す。ロシアは原油価格低迷のために経済が不振に陥っていたが、イランとの戦争状態が長引けば、原油市況が回復するのではないかと読む。となれば、経済再生も夢ではなくなる。緊張をもって事態の推移に注目しているひとりは北朝鮮の金正恩がいる。

ソレイマニは1998年頃からコッズ部隊の司令官の座に就き、ハメネイ師の側近として活動した。コッズ部隊は諜報や外国における破壊活動に従事し、シリア、レバノン、オマーン、アフガニスタンなどにシーア派のシンパ組織を設立し、軍事組織を育成し、活動資金ならびに武器を供与してきた。それゆえアラブの首長国、王国なども脅威と見なして、殺害を試みてきた。

イラン革命防衛隊の精鋭部隊「コッズ」は、バグダッドの米大使館襲撃をやらかした。ペルシア湾での米艦襲撃など、それ以前のテロにも関与していた。

そもそもソレイマニ司令官はイラン国内ではなく、「外国」のイラクに「出張」していたのだ。イラクを解放したはずの米国は、その結果がスンニ派のバース党の行政機構を壊滅させたという失策に目を瞑《つむ》り、気がつけばイラクはイランのシーア派の影響を受けたシーア派政権となったことに愕然《がくぜん》とした。あれだけの軍事力を送り込んで巨費を投じたイラク民主化は、ものの見事に失敗していたことになる。だからトランプは中東から米軍を引き揚げると公言しているのだ。

バグダッド政府は米国に面従腹背、何を考えているのかわからないほど鵺《ぬえ》的である。

空爆はバグダッド空港から出たソレイマニの乗った車列を標的とし、ドローンからの襲撃だった。同時にヒズボラのムハンディス副司令官を含めて6名の幹部が殺害され、イランの軍事組織のトップが不在となった。

ハメネイ師はただちに深刻な報復攻撃をなすと豪語したが、司令官不在の軍事組織が機能するのか、どうか。ガアニ副司令官がすぐさま司令官に昇格し、その指導力と威厳をみせつけるためにもテロをやらかすことだけは確かだろう。

一方、イスラエルは外遊中だったネタニヤフ首相が日程を取りやめて急遽エルサレムに帰国し、警戒態勢のレベルを上げた。

はたして米国はイランとの戦争に踏み切るだろうか？

トランプは戦争を望まず、またイランは口では威勢の良いことを並べているが、必敗が明らかな戦争をする気はない。だとすれば、米国は対イラン経済制裁をさらに強化することになる。イランからの原油輸入禁止は日本にも適用されており、日本船籍のタンカーが襲撃を受けたり、米国ドローンがミサイル攻撃を受けた。

現在、アメリカが発動しているイラン制裁は、ボーイング110機の契約停止（同時にエアバス100機もEUは同調制裁中だ）の合計395億ドル。ついで自動車の輸出禁止。イランからの輸入禁止品目にはペルシア絨毯（2018年は4億9500万ドル）、キャビア（137万ドル）、ピスタチオ（832万ドル）など。ほかに追加しても、どうでもよい商品しかないのが実情だ。

菅原出『米国とイランはなぜ戦うのか？』（並木書房）は、「米・イランの対立の構図は変わらず、再び両国が軍事衝突に向かう可能性は大きい」とする。

革命防衛隊が牛耳るイランは、狂信者の指導者ゆえに米国と宿命の対決を繰り返す以外に選択肢はない。米国とイランの対立は、今に始まったわけではなく1980年以来40年間、両国は断交状態にある。1979年の革命以前のシャー・パーレビ政権時代のイランは米国の同盟国であり、当時のイランは中東で最大の米国製兵器の購入国でもあった。

その親米政権をホメイニ師を中心とするイスラム教シーア派の宗教指導者が、イスラム主義思想を掲げて打倒し、イスラム統治体制を樹立したのが現在のイランである。

革命後のイランの拡張主義を恐れたイラクのサダム・フセインは1980年9月にイランへ侵攻、その後、8年間も続くイラン・イラク戦争になった。

この戦争で中東のアラブ諸国や米国はイラクを支援した。イランは近隣諸国のシーア派の急進派を支援し、ネットワークを作り、「代理勢力によるテロ」を対外政策の道具として使い始めた。現在まで続くイランの基本的な対米姿勢や軍事戦略は、この頃に確立されたものであり、基本的な戦い方はこの頃から変わっていない。

オバマ大統領は、イランの核開発問題解決を目指した。ところが、イラン側の根深い対米不信から挫折し、同盟国であるサウジアラビアやイスラエルとの関係も悪化した。オバマの対イラン政策を徹底的に批判したトランプが大統領に就任すると、それまでの政策を百八十度反転させ、サウジアラビアやイスラエルとの関係を強化し、イランを敵対視する政策に大きく舵《かじ》を切った。

今後、イランが核開発を加速させれば、米国の核施設攻撃の可能性も高まり、その影響はサウジやイスラエルまで巻き込む地域紛争に発展するリスクがある。

トランプ側近に将軍たちは不在

ポンペオ国務長官を、筆者は「トランプの鸚鵡」と比喩したことがある。

習近平を囲むイエスマンとか茶坊主に似るとは書かなかったが、トランプ政権の閣僚たちは投資、投機筋の筋金入りが揃うものの外交軍事、安全保障の大筋を立案する世界戦略を語るブレーンに不足している。

長期の戦略を練ったスティーブ・バノンは、早々にイヴァンカ女婿のクシュナーと衝突して政権から去り、戦略を補完する大統領補佐官だったジョン・ボルトンはトランプのあまりの軍事的無知に呆れて苦言を呈し、馘首《かくしゅ》される。

政権発足当時のトランプの周りを固めた軍人たちは、綺麗さっぱりホワイトハウスから去った。フリンもマティスもジョン・ケリーも……。

以後、「閣議は不動産企業の取締役会のようなレベルとなった」（TIME）。

イラク問題、アフガニスタン撤退、シリア撤退の拙速政策が中東から南アジアを混乱に陥れた。つまりトランプ政権は混乱の坩堝《るつぼ》にあり、この空白状況に乗じて、大統領キャンペーンの宣伝用具として、民主党は弾劾カードを切った。

弾劾は最初から成立しないことはわかっており、民主党は劣勢挽回の政治キャンペーンに弾劾を武器化しようとしたわけだが、最初からでっち上げであり、なにひとつ証拠を提示できず、2020年1月に上院は「無罪評決」を出した。

戦後、マーシャルプランで復興し、NATO（北大西洋条約機構）が強力な対ソ抑止力として機能してきた米欧同盟も、中国の攪乱工作などで大きな亀裂がはいった。

まず英国と言えば、ボリス・ジョンソン英国首相は暴走気味、マクロン仏大統領は「NATOは脳死した」と暴言を吐き、イタリアは誰が首相かもわからないほど入れ替わりが激しいが、大多数はブラッセル（EU本部）を冷笑し、EU委員長（前のドイツ国防相、女性）は浮世離れの平和論をぶつため嘲笑され、メルケル独首相は長期政権の毒でも廻ったのか、伝統的なドイツの価値観を破壊した。

この混乱、混沌《こんとん》をチャンスと見て重厚な介入に乗り出したのは中国ではなく、プーチンである。トルコのエルドアン大統領、しかり。米国政治の混乱、欧州の混沌と分裂をはっきり把握したイスラエルは、ゴラン高原を併呑し、エルドアンは米国依存をやめて、ロシアの兵器体系を導入し、サウジアラビアさえ、足繁くモスクワへ通う。

米民主党のトランプ弾劾理由はウクライナ問題だった。

まさか、ウクライナ大統領に喜劇俳優が当選したため混乱が多重化した。西側はウクライナ大統領を鼻から莫迦扱いしたが、この喜劇俳優はつらい経験を短期間に積んだため指導力を漲らせる政治家に脱皮した。

ウクライナ政界は汚職にまみれ、買弁政治家が蠢動《しゅんどう》し、反ロシア感情を政治組織化できず、あまつさえウクライナ経由のガス・パイプラインは、ドイツへの海底パイプラインが完成したことによって年間3億ドルの通過料も入らなくなる。ウクライナは岐路に立たされた。いつもなら空隙《くうげき》に乗じるのは中国だが、マフィアがウクライナで先行していることもあり、二の足を踏んだ。

バイデン前副大統領の息子ハンターがウクライナのエネルギー企業の取締役だった事実が浮かんだ。

この醜聞を探知したトランプはゼレンスキー・ウクライナ大統領をせっつき、そのことが不満だったウクライナがトランプと距離を置いたのだ。

「ウクライナを舞台に大国がチェスゲームを展開している。われわれはチェスボードではない。世界地図に描かれた通過ポイントだけの役目は終える。米国の弾劾ゲームにウクライナは介入しない」（TIME、19年12月16日付け、ゼレンスキー大統領へのインタビュー）

だが民主党がやけくそ気味に挑んだトランプ大統領弾劾は見事に空中分解、民主党は赤恥をかく始末となった。

宮田律『黒い同盟——米国、サウジアラビア、イスラエル』（平凡社新書）はトランプの中東外交をぼろくそに批判している。

ペルシアは歴史の古い邦《くに》だが、今のイスラム絶対主義的政権は一種狂信的であり、反米で凝り固まっている姿勢を見ていると不安を感じる人が多い。

「黒い同盟」のメンバーはトランプのアメリカ、ムハンマド皇太子のサウジ、そしてネタニヤフ首相が率いるユダヤ人国家である。この3国の枢軸が「黒い同盟」だそうな。

かといって必ずしも一枚岩の頑固な団結状態にはなく、お互いが疑心暗鬼、鵺的政治、電光石火の秘密行動、そして駆け引きと謀略の確執、つまり腹黒い、陰謀家たちの衝突があり、離合集散のアメーバ状態が常態というわけだ。

なにしろサウジ王家を批判したジャーナリストのカショギ暗殺に皇太子が濃厚に関与していたとわかっても米国はサウジに抗議せず、暗殺を容認したかのような態度でサウジ擁護に動いた。リベラルなメディアはこの点でトランプに批判的だった。

考えてみればイスラム過激派アルカイーダを誕生させたのはCIA特殊工作の結果であり、シリアにおける無政府状態とISの跳梁跋扈《ちょうりょうばっこ》も、その連続的結果の連鎖にサウジが胴元となって巨額を迂回ルートで支援したからだ。

中東に混乱が続けば米国製武器が売れる。

そうなれば米国の軍需産業が潤うという図式は陳腐だが、イラクのサダム・フセイン撲滅、リビアのカダフィ暗殺、エジプトのイスラム同胞団の興隆と没落の経過などを見ていると、中東政治は魑魅魍魎《ちみもうりょう》、陰謀たくましき謀略家しか生き残れない。

パキスタンのしたたかさも、中国は620億ドルも投じて「CPEC」（中国パキスタン経済回廊）を建設中だが、借金償還にはシラっとしている。パキスタンが打算的にたよる北京だが、金銭的同盟かも知れないが、本当の保護者はサウジである。

ともあれ中東の伏魔殿のような政治地図を述べると、それはそれで別の一冊となるので、今は措く。

モスクワで政変、憲法改正か

こんなおり、マトリョーシカもビックリの政変がモスクワで起きた。

ロシア内閣が唐突に総辞職し、無名のミハエル・ミシュースチンが新首相となった。

2020年1月15日、セルビアを訪問する直前のプーチン大統領はメドベージェフ首相を更迭し、内閣総辞職を断行、そのうえで、まったく無名のミハエル・ミシュースチンを新首相に指名、ロシア議会はただちに承認した。

セルビアの首都ベオグラードでは治安悪化にそなえて警備態勢を敷いていたが、プーチン暗殺計画のテロリストを拘束したと発表した。

メドベージェフ内閣の総辞職というサプライズに動揺したのは株式と為替相場。ルーブルは対米ドルレートを61・81から68・86に下落させた（1ルーブル＝1円77銭から1円62銭に）。ちなみに現在の新ルーブルがソ連帝国崩壊後に発行されたおりは1ルーブルが16円ほどだったから、通貨は徐々に旧ルーブルのような紙くず化を演じていることが歴然となる。

原油相場の暴落がロシア経済低迷の主因である。新興財閥のロシア特権階級が破天荒な汚職を展開し、その資産を英国、米国に分散して蓄財していたが、ロシア経済制裁を課している米国が在米資産凍結としたため、ロシア経済低迷を加速させていた。とどのつまり、ロシアが経済的に依存するのは中国ということになる。せめて心理的状況の改善をとばかり、プーチンが命じたのはサンクトペテルブルクに宏大なプーシキン記念館を設立したことくらいだ。

原油・ガスのほか、ロシアが輸出して稼げるのは武器しかない。ロシア製の自動車は西側で買う人がいない。ウオッカ？　メチル入りの偽ウオッカが出回っているため、ロシア人は自国ウオッカを呑まず、米国産かスウェーデン産を呑んでいる。そのうえ近年のロシア人の志向はスコッチ、アイリッシュ・ウイスキー、そしてニッカへ変化した。

それはともかく、ロシアからのガス・パイプラインは3本あって、北側の「ノルド・ストリーム1」は対独向け輸出が継続されているが、「ノルド・ストリーム2」（バルト海海底をパイプラインで繋ぎ、欧州へ輸出）は米国が制裁中のため、工事がストップしている。

プーチンはこのためサザン・ルート（南方油送管）、すなわちトルコ経由ギリシャ、ブルガリアへの開拓に着手し、長年敵対したトルコのエルドアン政権とにこにこ人工的な笑いを浮かべながら握手したのだった。

ところで税務署あがりのロシア新首相ミハエル・ミシュースチンって何ものなのか？ 彼はプーチンの親しい間柄でホッケー仲間とされる。地味な経歴、その仕事のわりに豪邸を構えていることで知られる。

モスクワ郊外ルブリヨブカに敷地面積5500平方メートル、建物が700平米という相当な豪邸だが、ミシュースチンは2001年から05年まで、この不動産のオーナーとして登記されていた。以後、「ロシア財団」が持ち主となっている。しかしロシア財団の事実上のオーナーはミシュースチンの息子ふたり。資産価値は950万ドル（10億5000万円弱）。またミシュースチン夫人は同財団から8年間に1250万ドルの報酬を受け取っていた事実も浮かんだ。

多くのロシアウォッチャーはプーチンが4月に改憲を提議し、2024年以後も権力の座を維持するための「院政」の準備段階に入ったのだろうと分析している。

あるいは憲政に従って3度、首相の座について、大統領をコントロールするか、というのも、新首相に指名されたミシュースチンが、次期大統領に就くというシナリオがあり、その場合、憲法改正を行って、またもや大統領は飾り（メドベージェフが「大統領」時代、まさにプーチンの操り人形だったように）として振る舞うのか、いずれにしても憲法改正が政治日程にのぼってくる。

ロシアが抱える「プーチン・リスク」

コロナウイルス災禍の中国とは対照的にロシアはプーチンの意外に周到で慎重な指導によって、「ロシア帝国の復活」が至近距離となりつつあるかに見えた。

だが、好事魔多し。原油価格崩落によって、プーチン大帝の輝かしき指導力は地に落ちつつある。

第一に「大国」としての恢復のためプーチンは相当の無理をしてきたため、経済負担が限界を超えたばかりか、ドル箱の石油が値下がりして、軍事予算減退、西側の技術移転が止まってしまったため経済の活性化が停滞した。

第二に威勢の良いクリミア半島併合は確かにロシア・ナショナリズムを高揚させたが、西側の経済制裁、とりわけ財閥の海外資産差し押さえで、経済が減退傾向。理由は俄《にわか》成金たちが「愛国」を鼓吹しつつも祖国への投資を忌避して海外へ外貨を持ち出すからだ。

第三にロシアの国勢の恢復を軍の拡張に偏重させているため、中東における影響力恢復は短命、雇用機会の喪失、失業の増大はプーチンへの不満を急拡大させている。反プーチンのデモが主要都市で組織化されている。加えて西側の影響により「＃Ｍｅ、ｔｏｏ」運動、ＬＧＢＴ活動などロシア正教を脅かす価値紊乱《びんらん》の動きが顕著になった。

第四にプーチンの専制政治はメディアの統制にも動いているが、政敵が海外から混乱を工作したり、また国内では外国人労働者、特に中国人が溢れてきたため、民族的危機感が日増しに強くなった。

過半の若者がロシアを捨てて外国に移住を希望していることもプーチン政治の限界を示して余りある。

ロシアの社会学者がつどう「レバタ・センター」が２０１９年10月に発表した世論調査統計は衝撃的だった。この調査はロシア全土50地区、１８００人を対象に行われた。

それによればロシアの若者（18歳から24歳）の53％がロシアを出て外国への移住を望んでいることが判明した。あの「大祖国戦争」を戦ったロシア愛国主義はどこへ行ったのか？

ちなみに25歳から39歳の青年層も、30％が海外移住を望んでいる。ロシアは１９８９年から２０１３年までにおよそ５４０万人が海外へ移住した（このうち１００万近いユダヤ人のイスラエル移住も含む)。

出生率は1・16%と世界主要国のなかで最低。また長寿を誇る日本とは対照的にロシア人の平均寿命は短命である。男性は59歳、女性は73歳。主因は自殺急増、アルコール依存、そして殺人の増加などだ。同調査によれば、死刑復活を望む声も50%を超えたという。

ロシアは人口1億5000万人弱。毎年70万人の人口減があり、GDPは世界12位、一人当たりのGDPは8900ドルと統計的には見られるが、富の分配が不公平であり、プーチンの眷属《けんぞく》、友人らが利益を独占し、せっせと海外へ資産を移している。

このような社会基盤の腐食現象、融解がなし崩しにロシア社会を蝕み始めた。にもかかわらずプーチン大統領は「核戦争を辞さず」「西側がカリニングラードを抑えたら、ロシア軍は48時間以内に反撃できる」「中東の安定のため地域への支援を続ける」などと獅子吼する。そんな強気の、金のかかる外交をやっている閑があったら失業率を減らし、企業効率化合理化を推進し、海外からの投資を呼び込み、生活をゆたかにするべき政治をやってほしいというのがロシア庶民の望みである。

かつてロシア人マフィアが資金洗浄に利用したのはキプロスだった。

今はモルドバの国内国(=沿ドニエストル)とウクライナ東部にマフィアとFSB(ロシア

連邦保安局）のハッカー部隊がいる。

ロシアの諜報機関ＦＳＢと言えば、米国のＦＢＩのような防諜専門ではなく、謀略を展開する秘密組織、前身は泣く子も黙るＫＧＢ。あのプーチン大統領の出身母体である。中国軍のハッカー部隊ほどの規模ではないが、ハッカー専門部隊も持っている。

ビットコイン搾取で、ロシアのＦＳＢが関与している疑惑がある。

被害総額4億5000万ドル相当、発覚が遅れたのは「外国」扱いを受ける危険地域からハッカー部隊がビットコインの取引所を攻撃したからだ。

ウクライナばかりか、旧ソ連圏の東欧諸国がプーチンに揺さぶられている。

典型はモルドバである。ルーマニアへの合邦復帰を望むモルドバは国内にロシア系の未承認国家「沿ドニエストル共和国」を抱えており、ロシア軍が駐屯しているため、どうしてもロシアの顔色を窺う。2015年からわずか1年でモルドバは、行政トップの首相が5人も交代したほどの政局不安を抱えている（ちなみにロシアはトルコ制裁で農作物の輸入を制限したとき、この沿ドニエストルからトマトを緊急に輸入していた）。

モルドバの経済沈下の発端は銀行のスキャンダルだった。モルドバの三つの銀行が中央銀行によって免許停止処分となった。原因はロシア財閥のマネーロンダリングに手を貸していたという疑惑である。過去5年間にロシア新興財閥はモルドバの銀行を通じて200

億ドルを資金洗浄していた。

そのモルドバのロシア人居住区は「沿ドニエストル」、事実上の独立国家である。ここにロシアのマフィアが蝟集《いしゅう》し、ビットコイン取引で合計4億5000万ドルが、「蒸発」していた。モルドバ領内の未承認国家ゆえに国際機関の監視も行き届かず、沿ドニエストルは無法地帯とも言える。ここが彼らの活動拠点となる。

馬渕睦夫ウクライナ兼モルドバ大使に数年前、「モルドバからウクライナへバスで入ろうと計画しているが、どの道を行ったら良いか？」と尋ねたことがある。すると「沿ドニエストルを避けるバスルートがありますよ」と助言を受けた。

モルドバの首都キシニューはこぢんまりとまとまって意外に美しい街で公園が多い。此処へはイスタンブール経由で入国し、3泊した。長距離バスターミナルからのオデッサ行きはミニバス、後ろの座席にはロマ（ジプシー）の母子が座り、騒がしかった。地図で見ると短い距離だが、国境の検問に時間を取られ、6時間ほどかかった。

2016年の大統領選挙へのロシアのネット集団の介入は主にヒラリー陣営を狙ったが、この作戦の主犯と見なされる「ファンシー・ベア」集団は、東ウクライナが拠点だった。

ウクライナの東部は、ウクライナ中央政府（キエフ）の統治が及んでいない。

そしてベルギーからの冷凍コンテナが英国に陸揚げされ、冷凍室のなかで、「中国人」

が39名死亡していた事件があった。偽の中国パスポートを保有していたためだった。その後の調査で、遺体はすべてベトナム人だった。

なぜこんなことが起きるのか。ベトナムのマフィアと中国のマフィアが連携し、この闇ルートにウクライナのマフィアが絡んでいるからである。国際的なマフィアの連絡網が成立しているのである。

彼らのドル箱となった密航ルートもまた、東ウクライナ経由だった。ＥＵへの密入国ルートを利用する犯罪者集団が背後にあることが判明している。

かつてロシアマフィアが資金洗浄に利用したのはキプロスだった。その一部がマルタへ移動し、そのマルタは中国のマフィアが進出し、魑魅魍魎の地域となった。そしてドニエストルとウクライナ東部に蝟集したマフィアとＦＳＢのハッカー部隊が組んでいたという闇が浮かんだのである。世界の闇は果てしなく深い。

東欧も西欧も「中国熱」が冷めた

気がつけば欧州のほぼ全域で中国熱が冷めていた。

２０１２年に中国はワルシャワで東欧、中欧の16ヶ国の首脳を招き、「16＋1」を標榜《ひょうぼう》、定期的な会合を組織化した。中国が膨大な投資を敢行し、旧東欧でも鉄道と高速道路を作り、そのために中国が融資し、将来は輸送のハブ基地として、繁栄の夢が壮大に語られた。ギリシアが途中から加わって「17＋1」となり、モンテネグロからセルビアへの高速道路、ベオグラードとブダペストを繋ぐ高速鉄道の建設が始まった。

ところが資材も建機もブルドーザーも、そして労働者も中国からやって来て、地元の経済には少しも役に立たなかった。潤ったのはロシア寄り路線に固執して欧州でぽつんと孤立していたセルビアとピレウス港の管理運営権を中国の「遠洋海洋集団」に30億ドルで売却したギリシアだけだった。

ほかの国々はすっかり当てが外れ、中国への熱線は突如、冷線となる。

反中国に路線を切り替えたトップはチェコだった。チェコは自由憲章を提言した民主主義重視の国であり、中国のウイグル弾圧を見かねて抗議の声を上げた。

ビートルズの一員だったジョン・レノンが狂信的なファンによって銃撃され、NYの自宅前で死亡した事件は今も記憶に生々しい。当時、まだソ連の占領下にあって自由のないチェコの市民らはカレル橋の下にある壁に自由への希求を落書きした。当局が壁を白く塗ると、翌日には「圧政や抑圧に反対するメッセージ」や絵が描かれた。これが「レノンの壁」と呼ばれ、自由化の象徴となった。

「レノンの壁」は2019年6月の大抗議集会とデモ以降の香港で再現された。香港市内の至る所に中国共産党批判、香港政庁非難、香港警察への罵倒《ばとう》メッセージが書き込まれ、いってみれば香港の風景になって溶け込んだ。

そのレノンの壁の嚆矢《こうし》、チェコ共和国で、中国のファーウェイ、ＺＴＥ排斥の動きが急浮上した。

チェコは「ビロード革命」のあと、経済の離陸をなによりも優先させた。経済的飛躍は瞠目《どうもく》するべきほどで、現在チェコの一人当たりのＧＤＰは2万２８５０ドル。したがってＯＥＣＤ入りも早かったが、１９９９年にはＮＡＴＯ加盟、２００４年にはＥＵに加盟した。残る国家目標はユーロ入りだが、これにはチェコ国民の反対が根強く、別れたスロバニアが先にユーロ入りしても少しも慌てない。

ビロード革命の立役者で詩人のヴァーツラフ・ハヴェルは民主化以後の初代大統領となった。その人気と知名度から、日本でもチェコのイメージは良好、日本企業２５７社が進出し、累計38億ドルの投資を行っている。ハヴェル大統領は自由を尊重し、台湾を訪問して、中国の全体主義の脅威を訴えたものだった。チェコの三つの大学には日本語の講座があり、若者は漫画、アニメを好む。

そのチェコで華為技術（ファーウェイ）とＺＴＥ（中興通訊）の使用が禁止される。「サイバー安全保障上、問題がある」とし、２０１９年11月17日にチェコ情報当局は年次報告をまとめて曰く。「情報の漏洩が著しく、怪しい国の製品には慎重であるべきだ。公務員、軍人、政府職員などの中国通信機器の使用を禁止する」とした。

チェコの通信大手「テレフォンカ」はファーウェイと過去15年、企業提携をなしてきた。しかし、その共同作業も行き過ぎると安全保障の枠を超える。

「チェコは主権国家であり、サイバーの安全保障上の懸念があれば、使用を差し止めるのは当然の主権行使」とした。

チェコの情報当局の年次報告書では、かつてのソ連と同様に中国にそそのかされた代理人たちがチェコの政・財・官界に浸透しており、学界、慈善団体、メディアにいたるまで中国旅行に招待し、顎足《あごあし》つき。もっとも重視する外交目標はチェコと台湾との暖かい関係の分断に置かれていた。チェコは台湾と外交関係はないもののヴァーツラフ・ハヴェル大統領時代から「自由」が尊重され、台湾への梃子《てこ》入れが強く、親密な関係がある。

しかしチェコ財界は中国の巨額投資に目が眩《くら》んだ。条件が良ければチェコ企業の幾つかが標的となって中国資本に買収されていた。

「チェコはEU諸国への玄関口」でもあり中国の外交戦略上、重要な拠点と位置づけられてきた。

チェコのゼマン現大統領、バビシュ首相らチェコ政府はファーウェイ排斥に傾き、「サイバーの安全保障上の懸念が大きい」との理由を挙げた。チェコ最大の通信企業テレフォンカとファーウェイは15年にわたって共同事業を展開してきただけに驚きを隠せない。在プラハの中国大使館はただちに抗議したが、チェコ政府の意思は固いようだ。

ヴァーツラフ・ハヴェル初代大統領は劇作家、詩人、何回も投獄されながら不屈の闘志で自由への讃仰を謳った。チェコ自由化の原点とも言える「77憲章」の起草者であり、中国のノーベル平和賞、劉暁波《りゅうぎょうは》の「08憲章」に甚大な影響を与えた。今プラハ国際空港はハヴェル空港と呼ばれる。

トルコのエルドアン、トランプと丁々発止

米国とトルコ関係は緊張している。

2019年11月13日、エルドアン大統領が訪米し、ホワイトハウスで長時間の会談をこなしたうえ、笑顔で共同会見に臨んだ。エルドアンは長身で、メラニア夫人より背が高く、トランプと並んでも引けを取らない。

「『政権は歓迎したが、エルドアンは専制政治。民主主義的ではない』と冷ややかな議会は肘鉄《ひじてつ》を食らわせた」（イスラエルの『ハーレツ』紙、同年11月14日）

会談後の共同記者会見でトランプはエルドアンを指して、「大ファンだ」と高く持ち上

げたが、米国とトルコの関係改善は見られず、お互いの不信感はぬぐえずに終わった。米国の不満は第一にエルドアンが米国の強い反対にもかかわらずロシアのS400ミサイル防衛システムを導入したからである。これには共同防衛体制を敷くNATO諸国も反発した。米国はイラク戦争やシリア空爆などでNATOメンバーでもあるトルコに軍事基地を置いている。

怒り心頭のトランプはF35ジェット戦闘機のトルコへの供与を中断した。NATOの重要な一員であるトルコが、共通の防衛システムに距離を置いたことは、今後の欧州全体の安全保障に悪影響が出る。NATO海軍の本拠はトルコのイズミールに置かれている。

第二にクルド族への弾圧を強めるエルドアンに、米国は強い懸念を表明している。もともとシリア南部のクルド人自治区に盤踞《ばんきょ》する武装勢力はトルコの頭痛の種であり、米軍の撤退を機にトルコはクルド人居住区を空爆した。シリア内戦で米国はクルド武装勢力を励まし、武器供与を続けてきたから、クルドから見れば、米国の撤退は裏切りと映る。トランプはトルコの鵺的な軍事行動に慌てて米軍撤退を延期した。

第三がトルコ国内におけるウイグル人、ウズベク人へトルコ政府は方針を変えて、北京に協力的となり、彼らへの監視強化に転じたことである。

特に中国が過酷な弾圧を加えているウイグル人にとって、同じ民族の国、トルコは最後の避難所だった。

トルコ人はトルクメニスタン、ウズベク、カザフスタン、キルギス、そして東トルキスタンといわれるウイグル人と同じチュルク系民族であり、言語体系も同じチュルク系語族だ。その同胞意識から、避難してくる大量のウイグル人を保護してきたのだ。


そのトルコが、かつては中国共産党を「人類の恥」とまで非難していたことをすっかり忘れ、中国からの投資の魅力に勝てず、経済優先に踏み切った。

中国政府の要求に応じて国内に避難しているウイグル人への監視を強化したばかりか、一部を中国へ強制送還し始めたのである。

トルコ国内には3万5000名の亡命ウイグル人が棲み着き、コミュニティではウイグル語の新聞も発行されている。

このコミュニティの分断をはかるため多くの中国公安が入り込み、活動家にウイグルにいる家族を迫害すると脅し、スパイになれと強要し、言うことを聞かないならトルコ政府に言いつけて強制送還をさせると露骨な脅迫を始めた。

ウイグル独立を願う人々にとってトルコも安住の地ではなくなった。米国に亡命したラビア・カディール女史は「世界ウイグル会議」を主宰し、平和的解決を世界世論に訴え続ける。

ワシントンには「東トルキスタン独立政府」が存在している。実際に1940年代から50年代初頭、東トルキスタンは独立していた。「東トルキスタン独立」を主張するウイグル人組織はミュンヘンにもあり、親中派メルケル政権の膝元で活動を続けている。

ともかく世界情勢は複雑怪奇、これまで独り舞台だった中国はカネの消滅とともに消える。

第5章

ＡＩ監視、サイバーが逆に中国共産党を崩壊に導く

肝心要の中心人物の手抜かり

日本のみならず西側の機密情報が次々と中国に盗まれている。それも気がつかないうちにパソコンやスマホから重大なデータが抜き取られ、買い戻しか横流しされて、悪用される。ハッカー部隊の世界一はいうまでもなく中国である。人民解放軍のなかに数万のハッカー部隊がある。

中国に倣ってネットから機密を盗む国々がある。

アマゾンCEOのジェフ・ベゾスがサウジアラビア皇太子と会見した（2018年4月4日、ロサンゼルス）。以後、ベゾスの携帯電話は同年11月と2019年2月にハッカー攻撃を受け、会話内容から過去の写真データまで瞬時に抜き取られていた。

デジタルビジネスのトップですらこの手抜かり。将来の危惧を示唆してあまりある「事件」だった。英紙『ガーディアン』のすっぱ抜き（2020年1月21日電子版）によれば、ふたりの会見から数ヶ月後にサウジ王室批判で著名だったジャーナリストのカショギ暗殺がトルコのサウジ領事館で行われた。カショギはワシントンポストの寄稿者であり、しかも、ベゾスはワシントンポストのオーナーである。

世界が悩まされるのはハッカー戦争、とりわけ中国、ロシア、北朝鮮、イランという四大「悪の枢軸」が、西側に仕掛けるハッカーによって機密が次々と盗み取られ、国家安全保障上最悪のケースが増えてきたからである。直近でも三菱電機から防衛技術が盗まれていたことが発覚した。

２０２０年2月13日、米国司法省は過去10年にわたってフォーウェイが米国から機密を盗んでいたとして追起訴した。中国の代理人だったハーバード大学教授を起訴した。

かくも迅速なデジタル時代、中国が主導する５Ｇ革命が進行中だ。

そのうえで西側が懸念するのは中国が準備態勢に入った「デジタル通貨」（仮想通貨＝デジタル人民元）である。

これは国家安全保障上の脅威と想定する英米欧、遅ればせの日本という図式だが、とう西側中央銀行６ヶ国が提携し、デジタル通貨を前向きに検討し始めた。中国の「デジタル人民元」の流通実験を前にドル基軸通貨体制の崩壊が懸念されるからだ。

もともとフェイスブックが「リブラ協議会」結成を呼びかけ、スイスに拠点を置いて発行する計画が、仮想通貨「リブラ」だった（日本は「仮想通貨」と呼ぶが、欧米は「暗号通貨」と呼んでいる）。

米国を中心に欧州、そして日本が明確に反対に廻ったためビザカード、マスターカード、ペイペイ、ヴォーダフォンなど有力企業がリブラ加盟を見送ったことで挫折、もしくは延期を余儀なくされた。

西側がリブラに反対する理由は、中央銀行や政府が関与しないところで別の通貨が出回ることとなり、それは通貨管理、通貨供給の調整が不能となる懼《おそ》れがあり、それこそ「悪貨は良貨を駆逐する」。

根底にあるのはグローバリズムへの懐疑である。通貨は国家が管理する、経済運営の大動脈であり、責任の所在がはっきりしない通貨とは、国家、国境を否定する無政府主義に陥落しやすく、自由経済、放任主義の枠を軽々と超える悪状況を産み出しかねない。

もうひとつの懸念は英・米、ならびにＥＵ諸国に共通する認識だが、基軸通貨体制の崩壊、とりわけドル基軸通貨が脅かされることは世界の経済秩序が掻き乱されると怖れるからである。

ところが状況が変わった。

中国がビットコインを規制する傍らで、中国人民銀行が管理する「デジタル人民元」の発行を宣言し、深圳か、蘇州で実証実験に踏み切るとした。これは経済史、特に世界通貨史における「大事件」である。

西側諸国が想定する仮想通貨はブロックチェーンと呼ばれる。中国のデジタル人民元も、この基本概念は同じである。

日銀、ECB（欧州中央銀行）、英国イングランド銀行、スウェーデンの中央銀行（リクスバンク）、カナダ銀行、そしてスイス国民銀行の六つの中央銀行団は将来のデジタル通貨（CBDC）発行に向けての共同研究を開始することで合意した。

米国FRBとシンガポールが加わらないため先行きの不透明感がぬぐえないものの、米国はムニューチン財務長官が「5年間は発行しない」と宣言していることが影響している。曖昧《あいまい》な機関、組織が責任の所在を不明確のまま発行しようとしているリブラ等に比べると、CBDCは中央銀行が管理し運営するので倒産の心配がない。さらに共通するメリットは、現金を扱うコストの大幅な削減に繋がるからだ。ATMの維持・管理、防犯カメラの設置や巡回など警備に加えて膨大な輸送コストがかかる。特殊車両にふたりのガードマンがATMを巡回し、現金を運んでいるが、このコスト、日本だけでも年間8兆円となり、防衛費より多いのだ。

デジタル人民元、「悪貨は良貨を駆逐する」ばかりではない

最大の難題、それはハッカーの攻撃をいかに防御できるかにある。

すでにビットコインで世界各地に詐欺が確認されており、中国ばかりか、北朝鮮とロシ

アのハッカー軍団が、発明者の上を行く技術を短時日裡に習得し、ノウハウも盗みだし、模倣し、自家薬籠中《じかやくろう》のものとする。「彼ら」が仮想通貨のアカウントから巨額を詐取している実態。あるいは身代金をビットコインで支払えと要求したり。

米国の議会聴聞会に喚問されたザッカーバーグ（フェイスブックCEO）は、このハッカー攻撃への対応を執拗に問いただされ、前向きの回答に窮した。完全なる防御はあり得ないからだ。

米国が慎重な姿勢を崩さないのは、もうひとつ重大事項が加わる。

原油取引、商品相場（金・銀・銅・レアメタルなどに加え小麦、大豆など農作物）のすべての市場ではドル基軸体制の下で、世界の経済活動が稼働している。もしデジタル米ドルがハッカー攻撃を受けて、市場が大混乱に陥った場合の危機管理体制は未整備であり、ウォール街がある日、攻撃を受けて電子取引システムが崩壊した場合のリスク、その未曽有の危機感も西側の認識に通底している。

機密事項の管理、プライバシー、データ処理など解決しなければならない技術はまだまだ山積みである。

米国の強烈な禁輸措置に対抗して中国は「半導体、CPU、OSを3年以内に自製する」と豪語して、反撃に出たが、この中国の野望を実現させるには前途が障害だらけ、たいへんな困難を伴う。

というのも暗号通貨も、根幹の技術はＡＩ、半導体、ＣＰＵにあり、このハイテクの争奪戦が暗号通貨の未来に濃厚に絡むからである。

米中貿易戦争は高関税の掛け合いばかりが強調されたが、実際は次世代ハイテクの争奪である。米国がファーウェイ（華為技術）やＺＴＥ（中興通訊）などを排斥したのは、「５Ｇ」と「ＡＩ」の開発で中国のリードを許してしまったと認識したからだ。

２年前、半導体を米クアルコムに依存していたＺＴＥはトランプの制裁により半導体入手が不可能となり倒産しかけた。ファーウェイは半導体の一部を自製しているが、大半を台湾、韓国、そして日本に依存している。

現場ではすでに激変が起きていた。

世界最大の半導体工場＝フォックスコン（鴻海精密工業）は、中国広州に完成させた新工場を稼働できず、米国ウィスコンシン州とインド、そして一部を台湾へ戻す。サムスンは大連と広東省の半導体工場を閉鎖した。そしてインテルは主力工場をイスラエルへ移転し、サムスンはベトナムへ移転した経過は見てきた。

いずれも米国の制裁を回避するためだが、この組み替えで世界のサプライチェーンが激変、中国の生産計画が狂った。中国が世界の工場であり、部品が台湾、日本、韓国から輸出され、完成品が欧米へ輸出という構図はボロボロとなったうえ、中国の通信機器、基地局が米国、豪、NZから締め出された。

日本もファーウェイ、ZTEの基地局は不使用として締め出した。

トランプ政権はEL（エンティティリスト）にファーウェイ、ZTEに追加してセンスタイム、メグビル、ハイクビジョンを加えた。監視カメラ、顔識別などのハイテク企業がウイグル族弾圧に使われていることが排撃の理由。さらに検閲の技術を持つティクトク、パイトダンスなども加えた。AI、5Gの開発企業だからだ。

しかも中国の現場ではIT産業の雇用が減少しエンジニアは就職難に陥っている。あまつさえOS（オペレーティングシステム）や半導体のほかに2000から3000もある部品のすべてを中国が自製する？　まして大本の半導体製造装置は日・米、そしてオランダがメーカー、中国にはない。

情報の隠蔽、捏造、情報操作の行き着く先

コロナウイルス災禍は、中国共産党の宿痾《しゅくあ》ともいえる体質、その情報隠蔽工作から悪化した。

不透明な情報空間では嘘や偽造、攪乱、陽動作戦と思われる情報が飛び交い、真実が何

であるのか、誰にもわからなくなった。

偽情報を放置することはとんでもない結末をもたらすことがあり、ここではふたつの書籍を紹介しつつ、偽造文書や捏造情報のことを考察してみたい。

偽造、捏造は南京大虐殺をでっち上げた中国の謀略をすぐに思い浮かべるが、悪智恵はなにも中国だけの得意技とは限らない。

『薔薇の名前』で有名な作家、ウンベルト・エーコには『プラハの墓地』という作品がある。舞台はイタリア統一、パリ・コミューン、ドレフュス事件などの時代。「プラハの墓地」が象徴するのはユダヤ人である。

『シオンの議定書』という偽文書を作った、偽筆家集団の暗闘があった。裏切り、陰謀、殺人の物語である。当時の欧州にはいかに反ユダヤ主義の嵐が荒れ狂ったか、そして陰謀、暗殺、殺人、戦争、殺戮《さつりく》、虐殺が起こるたびに偽作家の大活躍が始まり、かのドレフュスの冤罪《えんざい》事件もその裁判で有罪をでっち上げた証拠は彼らが作った偽造文書だった。

筆者がプラハに滞在したおり、旧市内にあるシナゴーグ、その裏山にあるユダヤ人墓地を見に行ったことがある。狭い土地にしか認められなかった墓地だったせいで、ぎゅうぎゅう詰めの墓石の上にも墓石、石碑などを積み重ねてあり、奇妙な、不気味なユダヤ人墓地が残っていた。

エーコは、主人公をのぞいて登場人物全員が「実在した」という立場をとる。

主人公はフィクションだが、幼児の頃から反ユダヤの家庭に育てられ、幾多の歴史的事件の渦中で殺人を重ねながら、カネのために世紀の偽造文書作りにせっせと精を出した。ユダヤ人が世界制覇を目論んだ陰謀をはかるという『シオンの議定書』は、いかに真実味を出すかで討議され、多くの嘘くさくない逸話を挿入し、その細工ぶりを語る。どことなく偽造情報を垂れ流す中国の「五毛幇」のことを連想する。「五毛幇」1元の半分、とは1通8円ほどのアルバイトでせっせと政府の言い分をメッセージに流す一報で、真実の情報は嘘だと言い張るメッセージも大量に送りつける副業部隊を意味する。

エーコはこう書いた。

「文書を偽造する人間はつねに文書で裏付けしなければならない。だから私は図書館に通いつめた（中略）。ある本でプラハのユダヤ人墓地の美しい版画を見つけた。今はうち棄てられ、ひどく狭いところに一万二千ほどの墓碑がある」

革命家、騒擾屋《そうじょう》、反革命集団にはつねに仮想敵が必要である。

「問題は経済的陰謀を弾劾することだ。パリのレストランではノルマンディのレストランよりもリンゴ値段が百倍も高いのはなぜか？　他人の肉を食らって生きる捕食民族、かつてのフェニキア人とカルタゴ人のような商人の人種がいるからだ。現代ではそれがイギリス人とユダヤ人だ」。つまり「異なる多くの顔を持つ脅威をつくることはできない、脅威の顔はただひとつでなければならない。でないと人の注意は薄れてしまう。ユダヤ人を糾弾したいのならユダヤ人について話すべき」だ。

「群衆は野蛮であり、いかなる時も野蛮に行動する。自由によって限りない消費が許された飲み物のせいで痴呆となった、獣のようなアルコール中毒患者たちを見よ！（中略）政治においては純粋な力だけが勝利し、暴力が根本原理であるべきだ。狡猾さと偽善が、とるべき方針でなければならない。悪は善意に達するための唯一の手段なのだ。腐敗、欺瞞、裏切りを前にして我々はためらうべきではない」

だからフランス革命はギロチンの処刑、流血、裏切り、反乱、パリコミューンもまた。ロシア革命も、中国毛沢東の暴力革命も……。

「反日日本人」が最悪の敵

もう一冊、エーコには『小説の森散策』（岩波文庫）がある。フランス革命前夜。1798年に侯爵のマルキ・ド・リュシェが警告を発している。

「深い闇の奥から、かつて類を見ない新しい人類の集団が形成された。かれらは互いに顔を合わせたこともないのにおたがいを見知っている。イエズス会の法体系からはその盲目の忠誠心を、フリーメーソンからはその試練と儀礼を、そしてテンプル騎士団からは土霊召喚の秘儀と勇猛果敢な態度を、それぞれ取り入れている」（『啓明派試論』、1789年）

この時代、フランスは反ユダヤの風が吹き荒れ、多くの流言飛語が飛び交った。

人々の間にはマニ教団もテンプル騎士団もフリーメーソンもユダヤ人の団体でなにか陰謀を企んでいるという話がまことしやかに拡がっており、こうした社会風潮が当時の多くの小説の中にも取り上げられていった。

「流言飛語を広めた最大の功労者は、ある小説家、ウジェーヌ・シューでした」とエーコは言う。その感染の悪影響は文豪デュマにも及んだ。

シューの書いた『さまよえるユダヤ人』によって、ユダヤ人が「見えざる手」、「陰謀家」として描かれ、ユダヤ陰謀論は欧州に蔓延するに到る。これがやがてロシアの秘密警察の長となったラチコフスキーが知るところとなり、政治利用を思いつくのだった。彼は「凶暴な反ユダヤ主義者」だった。

ラチコフスキーは普遍的だった陰謀物語をすべてユダヤ人にすり替え、「陰謀をそっくりユダヤ人によるものとして」、陰謀論をでっち上げる。

かくて世紀の偽造文書『シオンの議定書』がまことしやかにロシアで広まり、ナチスドイツに伝わって行く。ヒトラーがユダヤ人に対して何をしたかは改めるまでもないが、日本が教訓とするべきは、中国が喧《かまびす》しく言いふらす南京大虐殺の嘘を放置したら、やがて日本人は世紀の陰謀を企てているとされたユダヤ人と同様に虐殺の対象化されかねない。

ともかく日本人のように、騙されやすい民族はまともな外交に欠かせない情報戦略がない。ゆえに謀略を仕掛けられると、防戦にかかりきりとなる。ハッカーがそうであるように、防御とは攻撃の経験から産まれるのである。

日本のシナ信仰は江戸時代の儒学者から始まった。

蔣介石《しょうかいせき》の「以徳報怨」などと道徳的なスローガンはインチキも甚だしく、彼はアメリカのポチだった。にもかかわらず戦後もせっせと中国に同情し、援助を続ける日本って、やはり間抜けなほどのお人好しである。

「日中友好」と口では言いながらも、中国は「隙あらば、尖閣諸島をもぎ取ろう」と虎視《こし》眈々《たんたん》と窺い、空母を2隻就航させ、次々と軍艦や海警を当該海域に派遣している。

平和惚け日本は、あろうことか、石垣島の漁民に向かって、「わが国の領海である尖閣諸島には近寄るな」と漁労を規制している始末だ。ありもしなかった南京大虐殺をアメリカと一緒になって声高に吹聴して映画まで作り、面妖な宣伝機関の孔子学院を日本の大学にせっせと増設し、北海道の植民地化を隙あらばと狙い、そのうえ自分たちの作った毒ガス兵器の処理に、日本が作ったのだと出鱈目を言って日本政府から1兆円近くをせしめた。その工事を請け負った日本の建設会社の社員4名を、都合が悪くなると、イチャモンをつけて拘留し、自分たちの嘘がばれそうになると、無知で洗脳された大衆を煽《あお》って「愛国無罪」とかの「反日暴動」を焚《た》きつける。

しかし日本の敵は内部に、いる。

「反日日本人」の群れ、これが一番始末に悪いのだ。

軍人事に大ナタをふるう習近平

コロナウイルス災禍によって中国人民解放軍がいかなる活躍をしたかは不明瞭である。軍は集団で動くので、新型肺炎とて軍の内部で感染が始まると手がつけられなくなる。コロナウイルス災禍の終息のため中国人民解放軍が派遣されたところもあるが、いかなる「活躍」をしたのかはまるで伝わってこない。

そもそも習近平が怖れているのは軍が政権に突如歯向かう軍事クーデターである。チリのアジェンデもルーマニアのチャラチェスクも、軍の寝返りでついえたのだ。

そこで中国軍のトップ人事に大異動があった。これも裏の目的はクーデター防御である。

2019年12月12日に、7人が新しく「大将」に任命され、中央軍事委員会のある八一大楼で軍事委員トップ全員出席の下、辞令交付式が行われた。許基亮《きょきりょう》・中央軍事委員会副主任、張又俠《ちょうようきょう》（同）、魏鳳和《ぎほうわ》（国防相）、李作成《りさくせい》、苗華《びょうか》、張弁民らが見守り、習近平からひとりひとりに辞令が手渡された。

新任の大将は次の7名。何衛東《かえいとう》（前任は上海常任委。以下同）、何平《かへい》（東部戦区主任）、王建武《おうけんぶ》（南部戦区主任）、李橋銘《りきょうめい》（北部戦区司令）、周業寧《しゅうぎょうねい》（戦略ミサイル軍司令）、李鳳彪《りほうひゅう》（旧成都軍区司令員）、楊学軍《ようがくぐん》（国防科学技術大学校長）。

先だって12月10日には新任中将が6人、少将が46名、昇格した儀式が執り行われた。ほかの幹部を併せると合計170名が解放軍の組織内で昇格する大異動人事となった。これほど大量の人事発令は異例。もうひとつの特色は、軍閥を作らせないために、勤務地が移動されたことだ。

すでに12月9日には人民武装警察（武警）でも36名の新少将が任命された。

これまで不明だった総数が80万人。これを40万人に縮小する計画があることも判明した。人民武装警察は入国管理の任務にも当たるが、暴動鎮圧で出番が多く、これまでは解放軍OBの受け皿のように扱われてきた。皮肉にも退役軍人の抗議集会に武警が駆り出された。退役軍人は5700万人。この軍人OBへの恩給や年金だけでも膨大な予算になる。しかし生活苦を訴える退役軍人らの不満は一向に解消されていない。

それはともかく中国軍は1979年の中越戦争以来、40年も実戦の経験がなく、軍事パレードで装備の近代化、武器のハイテク化は図られているが、戦闘実力がどの程度なのかは未知数である。

軍内にはかつて江沢民体制を支えたトップの徐才厚《じょさいこう》、郭博雄《かくはくゆう》の失脚以来、くすぶり続けた習近平への不満は払拭《ふっしょく》されておらず、軍事クーデターの噂が絶えなかった。暗殺未遂も9回、それゆえ習近平は旧瀋陽軍区への視察を嫌がった。また7大軍区を5戦区に再編したため、組織の再編プロセスでの齟齬《そご》があちこちで発生し、人事面でも矛盾が目立った。本来なら中将クラスが統率するべき集団軍でも、大佐クラスが集団長代理を務めることがあり、士気に影響した。こうした軍区の再編や部署の再組織化など小手先の入れ換えでは習近平の不安は納まらなかった。

それゆえ今回は大量異動人事の発令と同時に勤務地の総入れ替えで、軍の不穏な動きをシャットアウトした形になった。これによって軍が効率的に動けるのか、どうかは別の問題である。

中国科学アカデミーは「水中ドローン」の航行実験に成功したと発表した。

このAUV（AUTONOMOUS UNDERWATER VEHICLE）は「海鯨2000」と命名され

た水中遊弋のドローンで、発表によれば深海も２０００メートルまで潜水が可能。実際に37日間、２０１１キロの連続航行だった（『サウスチャイナ・モーニングポスト』、２０１９年11月９日）。

航路は秘密とされるが、２０１１キロの航行だったとすれば、西沙諸島から南沙諸島をカバーできる軍事能力を意味し、海南島三亜の基地に帰還した。海南島は中国海軍の潜水艦基地である。

この水中ドローン「海鯨２０００」の全長は３メートル、重さが２００キロ。ＡＩを積み込んで海温、塩度、海流、水中の成分、海藻などエコロジーの観測を行って記録する。秒速が１・２メートル。時速４キロ。

もっとも水中無人探査機は英国海軍が保有する「マクボートフェイス」で、六ヶ月連続航行６０００キロの航行に成功している。

中国はすでにドローン量産で世界一、しかも廉価なので、日本の愛好家ばかりか、国土地理院も中国製を使っている。昨秋（２０１９年）開催された珠海航空ショーで初公開され、軍事関係者が驚いたのは中国のドローン「天鷹」（４トン）だった。これは事実上のステルス無人機と変わりがないシロモノ、無人攻撃機に転用が可能だからだ。

ここまで書いてきた段階で伊達宗義《だてむねよし》氏（元拓殖大学海外事情研究所所長）の訃報に接した。氏は幕末の四賢公のひとり、伊達宗城《むねなり》（宇和島藩主）のひ孫にあたり、檀一雄《だんかずお》の傑作『夕陽と拳銃』のモデルとなった伊達順之助《じゅんのすけ》の長男。筆者は同研究所の講演に呼ばれたり、同大学紀要『海外事情』に寄稿したこともあるが、氏からは大陸浪人、馬賊の頭目として暴れ回った順之助の話をよく伺った。そのことは措くとして、じつは訃報のあと書棚を整理していたら筆者と伊達宗義氏との対談記録が出てきたのである。１９９７年の『動向』という雑誌で2回連載したもので、その中で次のような話をしていた。

すなわち四半世紀前の１９９６年時点で中国国有企業の赤字は43兆円（この数字は全人代が認めた）、当時の中国の国家予算は東京都とほぼ同額だった。外貨準備はわずかに１１６３億ドル、それでもニューリッチと呼ばれる階層が２００万人も産まれてせっせと英領ヴァージン諸島にドル口座を設けて海外に資産隠しをやっていた。

その一方で少ない予算から軍事費だけは2桁成長を持続させていた。軍の近代化は、鄧小平の至上命令でもあった。

爾後《じご》、歳月は流れ、四半世紀を閲し、中国国有企業の赤字は、上場している有力企業分だけで６２０兆円、地方政府の赤字が８００兆円を軽く超え、外貨準備は表向き３兆２０００億ドルと豪語しているが中身が疑わしいことは本書で縷々《るる》検証してきた。過去の改革開放で豊かになったはずの中国で、トイレ革命はなされず不衛生の環境は改善されるどころか自然環境破壊と公害は深刻このうえなく、それでいて貯め込んだカネを福祉行政にはまわさずに中国共産党はひたすら軍拡に投下してきたのだ。

かくしてコロナウイルス災禍で中国は弱り切ったように見えるが、裏面に廻れば、軍事力の拡大・拡充は従来のペースを守って進捗《しんちょく》しており、軍事的な脅威はまったく消えていないのである。

エピローグ　さようなら、習近平

全人代、五中全会延期、習近平の政治生命は終わりに近づいた

トップ・セブンとは中国共産党という独裁システムのヒエラルキーの頂点に立つ政治局常務委員会の別名である。

この下に政治局がひかえ、25人のメンバー（トップ・セブンが重なる）があり、その下が200名前後の中央委員。そして同数ほどの中央委員候補。このメンバーが集うのが中央委員会だが、2020年3月現在、「五中全会」（第19期第5回中央委員会総会）の開催目処が立っていない。3月5日開催予定だった全人代は、地方で会議ができないため、延期された。

習近平、李克強、汪洋《おうよう》、栗戦書《りつせんしょ》、王滬寧《おうこねい》、趙楽際《ちょうらくさい》、そして韓正《かんせい》がトップ・セブンだが、派閥的にいえば習派は栗戦書だけになった。

王滬寧はゴーストライターの学者に過ぎず、厳密に言えば習派には入らない。彼は江沢

民、胡錦濤《こきんとう》、そして習と三代に仕えたカメレオン的学者である。趙楽際は習近平の子飼いと言われたが汚職事件の不始末から習とは距離を置いている。

となると反習近平の李克強、汪洋はもとより「政治改革」を志向する共青団（共産主義青年団）の指導者であり、ここに江沢民派の韓正が合流した格好だから、とどのつまり習近平はトップ・セブンのなかでも身内がいないことになる。孤軍奮闘、部下は面従腹背。そのうえ、習のために死んでも構わないという捨て身の親衛隊は見あたらず、足下がぐらぐらとふらついている。かつて石原慎太郎が政治家になると聞いて小林秀雄が言った。「あんたのために死ねる人間が周りに何人いるか。それで政治家の価値が決まる」と。

もともと習近平にはカリスマ性がなく、存在感が希薄な政治家だった。最初の妻は外交官の娘だったが性格があわず、母親の薦めで国民的歌手として有名だった現夫人と結婚した。

福建省で17年間もくすぶり続け、曾慶紅《そうけいこう》（当時国家副主席、江沢民の右腕）に見出されるという運命の女神が微笑まなければ、今頃は隠居生活のはずだった。

ところが最大のライバルだった薄熙来《はくきらい》が夫人の英国人殺人事件によって失脚するという僥倖《ぎょうこう》に恵まれ、統御できないとされた軍を、王岐山の腐敗キャンペーンの豪腕によって、徐才厚、郭博雄を失脚させ、公安を牛耳った周永康《しゅうえいこう》もついでに葬ったことにより軍幹部に忠誠を誓わせ、江沢民派の影響力を弱めてきた。それまでさんざん利用した共青団には平然と冷や飯を食わせる。

そのうえで総書記、国家主席の任期を延長し、習近平の独裁体制は恒久的に続くかに見られた。

ところが党内はささくれだって習批判が渦巻き、2018年秋に予定された四中全会を開けずじまい。うっかり開いたらフルシチョフのように突如解任という噂が飛び交っていた。2019年には北戴河《ほくたいが》会議で長老たちからつるし上げをくらい、失脚寸前にまで追い込まれていたのに、香港大乱の発生によって共産党が団結して危機に当たることが優先され、かろうじて政治生命を保ち得た。

その衰えきった習近平の政治生命は、コロナウイルス災禍によって暴風雨に見舞われ、じつは風前の灯火、全人代も五中全会も開催できない状況に追い込まれた。

1986年、チェルノブイリ原発事故は、ソ連共産党を弱体化させ、ゴルバチョフがグラスノスチを掲げて登場した。1989年、ソ連共産党は崩壊した。

2019年から、中国はチェルノブイリ原発事故を越える災禍にまみえ、3年後には中国共産党が崩壊する序曲を奏で始めたように見えるのは筆者ばかりではないだろう。

「さようなら、習近平」と唱える日が近いのかも知れない。

世界のチャイナタウンで巻き起こる異変

1月下旬にNYに行った。4年ぶりで、大統領予備選の取材が主目的である。まっ先に見学したのはカナル通りからソーホーにかけての中華街（チャイタウン）。旧正月というのにコロナウイルスのせいかあまり活気がない。

華字紙は『星島日報』、『世界日報』、そして『大紀元』、『看中国』などが発行されているが、新聞スタンドでも売れている気配がない。後者三つのメディアはいずれも反共、反習近平が基調である。米国に住む華人らが、共産主義に反対していることは明瞭である。

1月24日は旧正月前の大晦日《おおみそか》。獅子舞などフェスティバルも中止になったうえ、泣きっ面に蜂だったのが、中華伝統展示館の火事だった。8万5000点の「貴重な」展示品が焼失した。なんだか中華没落の象徴的な火事だ。筆者は偶然、この現場に居合わせ、消防車の消火活動を見ていた。

放水した水がビルの壁をつたって道路は河のようになっており、交通が遮断されている。近くの公園では孫文《そんぶん》の銅像の周りに所在なげな爺ばばが集まって、昼間から賭け麻雀、トランプゲーム。もちろんカネを賭けている。目の前にある伝統的な文献や骨董品が焼けたというのに関心がなさそう。

中華街で以前より目立ったのは法律事務所だ。つまりビザの発給条件が厳しくなり、出産目当ての中国人女性の入国は禁止され、甘かった留学生ビザも厳格となったため学生が減ったからだ。合法的に在留を認めさせる、帰化を促進するには弁護士事務所が一番というわけで中国系アメリカ人の弁護士事務所が栄えるのだ。

そしてチャイナタウンから活況が削がれ、ならばたくましき中国人が何をするかと言えば、街頭に立って偽ブランド商品の販売。ためしに価格を聞くとルイ・ヴィトンの小型のバッグが25ドルだった。

警察の取り締まりが厳しいためカタログか写真パネルで客を誘っている。現場を撮影したら猛烈な剣幕で怒りだした。

世界各地のチャイナタウンは、「国ごとがチャイナタウン」のシンガポール、半分がマレーシア。各地の華僑社会では「中国を救え」というキャンペーンが開始されている。ジャカルタやホーチミンでは見られない光景だが、バンコックのチャイナタウンなどでは「加油武漢」（武漢、頑張れ）の看板や呼びかけの垂れ幕もある。

医療器機、医薬品からマスクまで寄付しようと呼びかける一方、米国からの中国行き飛行機はすべて乗り入れ停止だ。どうやって救援物資を運ぶのか。2月7日、習近平はあまりのことにトランプに電話して航空機乗り入れ再開を熱望したが、トランプは聞く耳を持たなかった。

おまけに中国国内ではマスクの値段が10倍に高騰し、詐欺も横行した。

WHOの緊急事態宣言前に中国人の入国、中国への旅行者の帰国を全面禁止した欧米列強、ならびにUAEなどとは対照的に、緩やかな規制で当初臨んだため、被害を増大させたのは日本政府の手抜かりだった。ついに2月13日に日本でも初の死者が出て、わが国も疫病対策の局面が変わった。

日本には国家安全保障という認識が世界一低いことをあらわした。

一方で日本はまっ先に100万枚のマスクを中国に贈った。民間でも日本製マスクを買って知り合いに郵送した人が多かった。

昨師走の段階から「あやしい。何かが隠されている」と新型肺炎の可能性を指摘したのは眼科医の李文亮だった。風説の流布、噂の拡散は国家安全保障上の脅威として取り締まりの対象となった。「治安を乱す風聞を吹聴するな」と当局から告発を止められ、情報の隠蔽が始まった過程は見てきた。混乱する病院や街頭で死者が横たわっている映像をユーチューブに流すと取り調べが行われたほどに言論統制が厳しく、情報が伝わらないうちに病原菌が拡散した。

初動の対策を誤ったため、2000名を超える犠牲が出た。2月12日には一晩で250名近くが死んだ。病院長も感染して2月18日に死去、おそるべき伝染病は瞬く間に世界中に急拡大し、中国は孤立する。

隠蔽体質は中国固有のもので、真実を国民には知らせないことが統治の原則という国柄である。

韓非子《かんぴし》が言ったように、

「それまつりごとの民にやさしきは、これすべて乱の始まりなり」

最初に奇病を告発した李文亮医師はコロナウイルスの犠牲となって死んだ。するとネットで李文亮が英雄視され始め、また現地を視察した李克強首相に支持が拡がるという椿事が起きた。2003年のSARSのおり、温家宝《おんかほう》首相が現地を視察した。江沢民は上海から一歩も出なかった。今回も習近平が初めて北京の住宅地と医療関係者を視察したのは2月半ばになってからだ。それも批判の高まりに渋々だった。

四川省大地震のおり、軍隊は災害現場に駆けつけて救助活動をする前に秘密の核都市に派遣され、核施設ごとセメントで埋めた。

先に武漢の医院を視察した李克強首相を称賛する声がネットに拡がった。つまりこれは間接的な習近平批判なのである。李文亮医師を英雄視するのも遠回しの習近平批判なのである。閉ざされたネット空間で言論が操作され、まともな批判ができないとなれば、代理作用が起こる。中国人の智恵と言って良いだろう。李文亮医師は反体制派でも共産党批判組でもなかった。このポイントを批判者らは巧妙について、全体主義システムを、非難したのである。

なにしろ主要道路にクルマが走らず繁華街に人がいない。町村単位で自警団が組織され、よそ者を入れないのだから、多くの行政単位が鎖国していることになり、4億人が事実上封鎖され隔離されたことになる。

コロナウイルス災禍以後、中国の鉄道利用者が10分の1に減少した。長距離バスは都市部への乗り入れが禁止され、沿岸部の工場には地方や農村からの労働者が戻れないままである。その数、じつに3億人！　そのうえ市町村が自らの地域を封鎖しているのだから、いずれ飢餓が押し寄せて保管食糧の奪い合い、殺し合いが起こる可能性がある。

中国はユーラシア大陸と繋がる国際列車を多数運行しているが、これも相次いで運休の仕儀となった。平壌行きは1月30日から、カザフスタン・アルマトイ行きが2月1日から、ベトナム・ハノイ行きは2月4日から、モスクワ行きは2月5日からそれぞれ運休、モンゴル・ウランバートル行きはモンゴル国籍以外の旅行者へチケット発売を中止した。

また40の都市に都市鉄道（主に地下鉄かモノレール）があるが、武漢・珠海・徐州・フフホト・淮安・温州・ウルムチ・寧波の八都市では全線運休という実態がわかった。

ほかに12の都市が特定の駅や路線を休止し、28の都市では時刻表を臨時改編して運転計画の変更を行った。この結果、通常どおりの運転を維持できたのは大連・済南・東莞だけだった。交通網の運休は人口稠密《ちゅうみつ》の都市部で満員電車となると「車内感染」が発生すると見られ、市内の出勤、通学、私用外出の抑制という一連の過剰な措置である。ただし貨物列車は湖北省を含む全国で通常どおり。なぜなら生産、消費の物流の大動脈であるためだ。


付随して珍現象も起こる。

中国に出稼ぎに来た北朝鮮、ベトナム、インドネシアからの労働者が帰国できなくなり、ホームレスという新しい問題。

フィリピンは出入国管理を厳格化したため春節で帰国していたお手伝いさんたちが、中国へ職場復帰できなくなった。香港ではフェリーや国門、バスの海底トンネルで検問強化、特にマカオとの国門を閉鎖した。まさに一極両制度？

そして休み明けの2月3日、市場が再開されたが、人民元が急落し、上海株式指数はザラ場で9・7％も急落した。反対に米国、日本の株価が上昇した。主因は春節が明けても工場の再開に目処が立たず、中国政府はさらなる延長を通達、自動車など部品供給のスケジュールが脅かされた。

人民元の下落はこれからが本番である。

1月13日にアメリカ政府は中国を「為替操作国」から唐突に解除した。あれっ、と思った市場関係者が多いが、印象としてトランプ政権は強硬姿勢を軟化させたことになる。

しかしトランプ政権のホンネは別のポイントにある。

基本的に為替相場の決め手は経常収支（貿易黒字）と金利である。次の変動要素は政治相場、これを市場は事前に読み込めないから、変動幅が大きいと投資家は狼狽《うろた》える。

米国の基準でいう「為替操作国」とは、(1)対米貿易黒字が年間2000億ドル以上、(2)為替介入による外貨購入が1年に半年以上続き、かつGDPの2％以上の国、(3)特大な貿易不均衡や通貨安誘導を促進してきた歴史がある国など、一方的にアメリカが決めているルールで、相手国が認めたわけでもない。したがって日本も監視リストから解除されていない。ちなみに米財務省の監視リストには中国、日本、マレーシア、スイス、韓国、ドイツ、イタリアなど10ヶ国が残っている。

トランプ政権が、中国を「為替操作国」指定リストから解除した理由は単純明快である。

為替安ならともかく中国は人民元を人為的に高め誘導しているのだ。これは自暴自棄か、自らが自分の首を絞めているに等しく、米側から見れば輸出競争力を奪うので、放置したほうがアメリカの国益に叶うと計算しているからである。

中国経済の破綻は秒読み、習近平の弔鐘が鳴り始めるのも時間の問題ではないか。

［略歴］

宮崎正弘（みやざき・まさひろ）

昭和２１年、金沢生まれ、早稲田大学中退。日本学生新聞編集長などを経て『もうひとつの資源戦争」（講談社、１９８２）で論壇へ。中国ウォッチャーとして多くがある。

『中華帝国の野望』『中国の悲劇』『人民元大決壊』など５冊が中国語訳された。

代表作に『「火薬庫」が連鎖爆発する断末魔の中国』『余命半年の中国・韓国経済』『日本が在日米軍を買収し第七艦隊を吸収・合併する日』『激動の日本近現代史1852-1941――歴史修正主義の逆襲』(いずれもビジネス社)、『中国大分裂』（ネスコ)、『出身地でわかる中国人』（ＰＨＰ新書）など多数。

新型肺炎、経済崩壊、軍事クーデターで

さよなら習近平

2020年４月１日　　第１刷発行

著　者　宮崎正弘
発行者　唐津 隆
発行所　株式会社ビジネス社
〒162-0805　東京都新宿区矢来町114番地 神楽坂高橋ビル5F
電話　03(5227)1602　FAX　03(5227)1603
http://www.business-sha.co.jp

〈装幀〉中村聡　〈本文組版〉エムアンドケイ　茂呂田剛
〈印刷・製本〉中央精版印刷株式会社
〈編集担当〉佐藤春生　〈営業担当〉山口健志

ISBN978-4-8284-2176-6

ビジネス社の本

「火薬庫」が連鎖爆発する断末魔の中国

香港動乱、韓国暴発は終わりの始まり

宮崎正弘……著

定価　本体1400円＋税

ISBN978-4-8284-2134-6

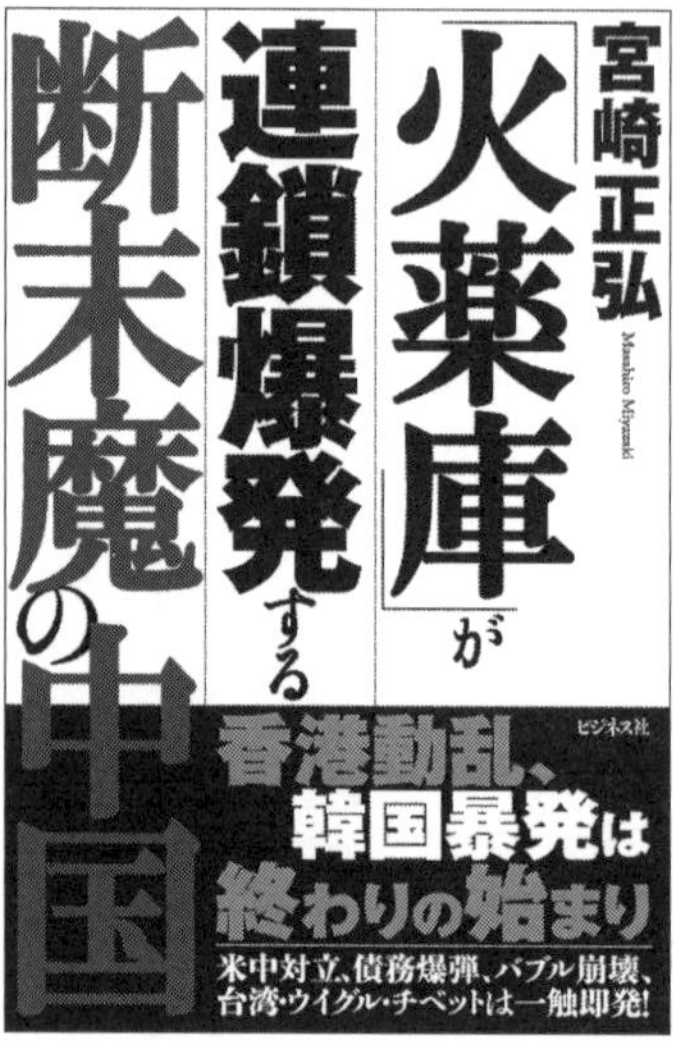

米中対立、債務爆弾、バブル崩壊、台湾・ウイグル・チベットは一触即発！

本書の内容